D1303184

La photo en page couverture illustre une portion des majestueuses chutes d'Iguazú situées à la frontière du Brésil et de l'Argentine. Cet impressionnant ensemble de quelque 200 chutes se précipite dans une luxuriante végétation tropicale humide sur un front de 2 500 mètres le long d'une profonde cassure topographique haute de 72 mètres.
PHOTO : © José Manuel Mateus, 1994

Conception et réalisation graphique de la couverture :
Bleu Outremer, Québec

Typographie :
Concept Éditique, Saint-Didace

Données de catalogage avant publication (Canada)

Mateus, José Manuel, 1963-
La voix du cœur : un bouquet de textes pour que fleurisse votre jardin intérieur

ISBN 2-9805934-0-0

1. Actualisation de soi. 2. Relations humaines. 3. Vie spirituelle. 4. Changement (Psychologie). 5. Conscience de soi. I. Franche, Pauline, 1954 – . II. Titre.

BF637.S4M37 1998   158   1 C98-940428-5

© **Éditions YAB-YUM, 1998**
905 chemin Gosford
Saint-Julien (Québec)
G0N 1B0 Canada
Tél. (418) 423-7740

Dépôt légal Bibliothèque nationale du Canada
Dépôt légal Bibliothèque nationale du Québec

La Voix du Cœur

*Un bouquet de textes
pour que fleurisse
votre jardin intérieur*

José Manuel Mateus et Pauline Franche

YAB-YUM

Édition à tirage numéroté

Ce premier tirage compte trois mille exemplaires. Les 99 premiers sont numérotés à l'intention des 64 micro-investisseurs ayant accepté la formule *Payez en 1997 et recevez la marchandise en 1998* et de ceux qui ont contribué de leur habileté, leur savoir, leur technologie, par ce qu'ils ont ou ce qu'ils sont, à la réalisation de ce premier bouquin des **Éditions YAB-YUM**.

Merci à tous.

José Manuel Mateus   *Pauline Franche*

achevé d'imprimer en mai 1998
sur les presses de **AGMV Marquis**
à Montmagny, province de Québec.

yab·yum

À tous les humains
Cheminant vers la Lumière
Conscients ou incertains
De leur Nature première

Donc, à tous les humains…

Sommaire

Un mot de Daniel Meurois-Givaudan

En notre siècle qui fait si peu de cas de la poésie, il faut assurément avoir un brin de folie pour s'essayer à composer des vers... et cette seule folie mérite qu'on s'y attarde, qu'on la respecte.

Celle qui anime José Manuel Mateus et Pauline Franche est peu ordinaire; elle ne se complait pas dans l'offrande de leurs états d'âme mais aime à conter les états d'âme, ce qui est différent.

C'est une poésie de chemin intérieur, une quête de sagesse qui a le courage de s'affirmer en tant que telle et par là même elle en devient hérétique... Car, n'en doutons pas, la sagesse et l'appel à Ce qui l'inspire sont toujours hérétiques, ce qui est nécessairement une qualité, précisément une de ces qualités qui ont toujours fait avancer les choses.

L'avenir dira si *La Voix du Cœur* saura se faire entendre comme il convient par la plume de José Manuel Mateus et Pauline Franche, mais remercions-la déjà d'exister et de nous rappeler quelques vérités essentielles. C'est si rare !

Daniel Meurois-Givaudan

Note concernant l'usage de la majuscule

Vous trouverez tout au long du livre plusieurs mots qui, dans un contexte particulier, ont été distingués de l'usage courant par une majuscule. En général, nous avons retenu cette marque pour exprimer le caractère premier du mot ou un sens relatif à l'essence première de toute chose.

Donc tout ce qui : *vient de, a sa source en, est relatif à, a le caractère de, mène à* ou *s'adresse à* cette essence première, portera la majuscule s'il y a risque d'ambiguïté avec le sens courant. Cette marque identifiera donc le caractère fondamental de la chose, son unité en un tout indivisible, son état incréé, sa nature au delà de la polarité.

Voici quelques exemples pour vous situer :

– L'*amour* est dirigé ou exclusif alors que l'*Amour* est inconditionnel, ouvert sans discrimination.

– Le *cœur* est le siège des émotions alors que le *Cœur* diffuse l'Amour.

– La *conscience* concerne la conscience ordinaire alors que la *Conscience* est universelle, pure.

– La *sagesse* est celle de la bonne conduite alors que la *Sagesse* est celle de la Conscience qui discerne globalement.

– Le *beau* devient laid, le *Beau* l'est par nature, sans opposé.

– La *lumière* provoque des ombres, la *Lumière* n'en crée pas.

– L'*appel* vient de l'extérieur alors que l'*Appel* concerne une puissante force intérieure.

– La *vie* est éphémère mais la *Vie* qui nous anime est éternelle.

– La *voix* de la Sagesse, de l'Amour, se dira la *Voix*.

– Un *pardon* total, entier et sans réminiscence, ou résidu, s'appellera *Pardon*.

– On peut *être* présent ou *Être*, c'est-à-dire être *Présent*.

Les principales exclusions à cette règle que nous nous sommes données concernent les deux contes de la fin où, dans les dialogues, la majuscule marque la vénération ou le respect que veut exprimer un personnage à son interlocuteur.

La voie des mots

Pauline et moi nous sommes rendus à l'évidence que tenir les poèmes à jour avec nous-même représentait une tâche sans fin. Ce qui nous faisait écho lors de l'écriture s'avérait dépassé les mois suivants. Au cours de la composition s'exprimaient des facettes plus ou moins conscientes de nous-même. Les regards portés traduisaient notre position sur des situations de la vie. Cette position nous faisait vibrer en entier à l'époque mais la perspective se modifie inévitablement au long d'un parcours de vie. Ce que l'on écrit un jour est vrai ce jour. Dès l'instant suivant notre vérité s'est transmutée. Nous changeons continuellement et c'est là le merveilleux de la vie.

Cette constatation ne réglait en rien notre question. Que faire avec ces poèmes que nous voulions travailler au niveau de la forme si leur esprit n'était plus au diapason avec nous-même ?

Nous décidons de les prendre un à un en travaillant la forme tout en respectant au mieux l'esprit original. Seuls quelques-uns furent transformés en profondeur, presque réécrits ! Nous tenions quand même à maintenir un brin de cohérence avec nous-même.

Il m'est donc étrange de présenter ces textes dont certains s'articuleraient tout autrement aujourd'hui. À l'époque où ils furent couchés sur papier ils me parlaient, vibraient en moi. De même, les gens à qui nous les avons fait lire ont souvent été touchés. Il m'est donc possible de vous présenter ces écrits sachant qu'un ou plusieurs d'entre eux sauront rejoindre, éclairer, faire écho à l'un ou à l'autre d'entre vous.

C'est avec une Joie non camouflée que je vous présente ce recueil fruit des inspirations des dernières années. Ces textes ont un même dénominateur commun. Ils ont jailli en moi dans des instants de Paix intérieure où je me sentais plein de cette Sérénité que rien n'ébranle. Les mots me sont venus telle l'eau coulant du rocher. Je ne puis que Remercier pour ce cadeau.

Je ne lis pourtant pas de poésie. Je n'y ai jamais rien compris. J'ai longtemps considéré ce mode d'expression voilé d'images comme biaisé. Pourquoi dire de façon détournée ce qui peut s'exprimer simplement ? me disais-je. La poésie habituelle devient tellement falsifiée, pour le peu que j'en connais, que le lecteur ne s'y retrouve plus, elle n'a de sens que pour l'auteur.

Il y a cependant des *choses*, je ne trouve le mot juste, que le langage d'aujourd'hui n'a pas la capacité de transmettre directement. Les mots pour les exprimer n'existent pas encore ou sont oubliés. Ces choses du domaine subtil restent bien au delà de la langue actuelle. Par la poésie, celle qui communique Cœur à Cœur, les messages se révèlent entre les lignes.

José Manuel

Dès nos premières rencontres José me proposa de lire le fruit de ses inspirations, soit plus d'une douzaine de poèmes, deux contes et la série *Misère*. Chacun d'entre eux me faisait écho. Ils représentaient un épisode de mon existence passée ou présente, une étape de mon cheminement ou encore une réflexion que je partageais.

Quand vint l'idée de réviser les textes dans l'intention de les publier, José suggéra que nous les travaillions ensemble. J'avais déjà écrit auparavant mais la tâche que nous entreprenions exigeait beaucoup plus de rigueur. Le choix des mots, leur sens, leur esprit, demeuraient la préoccupation première.

Même si à l'origine je n'avais pas composé ces œuvres, il m'était facile de m'en imprégner, d'en saisir l'esprit et de participer pleinement à leur révision.

Un jour José me proposa de collaborer à la rédaction de ce bouquin, d'en rédiger les présentations, d'ajouter des poèmes anciens et nouveaux… bref de m'impliquer entièrement. Alors, avec Cœur, je me suis engagée dans l'écriture.

À travers ce recueil, nous livrons ce que nous sommes, sans fard, en toute simplicité, et avec la rigueur du travail bien fait.

À plusieurs reprises, la plume fut mise de côté alors que la prédisposition intérieure ou le simple élan poétique n'y étaient pas. Nous avons été amenés à dépasser nos propres limites avant de poursuivre l'écriture des textes.

Comment peut-on parler de Paix ou de Foi si nous ne les ressentons pas ? C'est en cela que la composition de *La Voix du Cœur* fut toute une aventure, une aventure intérieure profonde, riche, intense.

C'est avec Joie que je vous offre ces mots.

Pauline

Dire oui c'est ouvrir la Porte

Nombre des poèmes de ce bouquin sont dédiés à une personne en particulier vivant un évènement précis. Il s'agit parfois d'expériences personnelles relatées. Une présentation décrit les circonstances d'origine de chacun d'eux ou dépeint sa portée.

Ce qui est offert à l'un peut servir à l'autre sans aucun doute. Nous l'avons maintes fois constaté. Ces textes ont été écrits pour circuler, pour servir. Puissent-ils aider ceux qui en ont besoin à trouver la Lumière en eux.

Ce livre peut être lu comme on avale un thriller ou un roman qui nous passionne. En quelques heures vous l'aurez parcouru puis déposé sur une tablette de votre bibliothèque. Vous direz alors *J'ai aimé, Je n'ai pas aimé* ou avec une certaine indifférence *Ce n'est pas mal.*

Nous vous proposons une autre façon de lire. Si vous souhaitez extraire l'essence des pages qui suivent un moment de calme s'impose. Soyez disposé à une rencontre avec vous-même sous des visages considérés plus ou moins désirables, inavoués ou alors sous des figures insoupçonnées de grande sagesse, de bonté, de compréhension ! Abandonnez tout jugement, soyez Amour. Restez ouvert aux émotions qui se présentent et accueillez-les simplement.

Il n'y a pas d'ordre pour lire ce livre. Laissez votre main vous guider sur une page en particulier ou allez directement vers un titre qui vous inspire, vous parle, vous appelle. Plutôt que d'aller chercher je ne sais quoi, laissez plutôt venir. Cela s'adressera précisément à vous.

Les présentations soulèvent plusieurs questionnements. Nous vous suggérons de prendre le temps de vous y arrêter, peut-être même de noter vos réflexions. Par ce geste votre démarche s'enrichira grandement.

Les mots de chaque vers ont été choisis avec attention afin qu'ils expriment avec le plus de justesse possible la voix de nos cœurs. Chaque ligne a son sens, sa place tout comme chaque strophe.

Nous vous proposons de lire une ligne à la fois, de vous en imprégner, de lui laisser vous communiquer son Sens profond. Ainsi cette lecture deviendra une communion avec vous-même, avec l'Univers. Dire oui du Cœur ouvre la porte de l'Amour.

Bonne lecture à vous, amis lecteurs.

José Manuel Mateus   *Pauline Franche*

Appels à la Vie

Les textes ici réunis ont été classés en sept parties. Cette subdivision ne saurait être catégorique car aucun texte comme aucun humain n'est exclusivement d'une seule couleur. Ces regroupements ont comme objectif d'améliorer la présentation. Il deviendrait lourd et peut-être ennuyeux de retrouver tous ces écrits en vrac. Nous les avons donc placés sous sept appels différents auxquels ils correspondaient le mieux.

Les *Appels à la Conscience* expriment particulièrement un regard inhabituel sur des facettes de la vie d'aujourd'hui. Ils invitent à une vision novatrice destinée à faire germer un questionnement sur ce que l'on considère trop facilement comme évident, établi ou acquis.

Les *Appels à la Transformation* abordent des situations du quotidien que l'on a tendance à subir. Ces poèmes amènent une nouvelle compréhension et suggèrent le mouvement. Ils sollicitent la Vie en vous et animent votre capacité de choisir afin que vous vous libériez de votre propre geôle.

Les *Appels à l'Unité* ouvrent la voie à la Réconciliation. Ils proposent une attitude face à la vie exempte de jugement. Ces pages appellent à l'ouverture du Cœur, à la fusion des polarités. Elles convient à offrir Pardon et Amour inconditionnel à tout, tous et toutes.

Les *Appels à la Reconnaissance* s'adressent à la Nature, à la Terre, à l'Univers. Ils sont une forme de prière, de recueillement, de reconnaissance à la Générosité et à l'Abondance de la Vie. À la lecture de ces textes particulièrement, nous vous suggérons de laisser vibrer en vous l'esprit de chaque ligne, une à une.

Les *Appels de Ce qui vient* exposent des exemples de ce que nous vivons les deux, en cohérence avec nous-même à l'intérieur de la société actuelle. Les derniers textes de cette partie expriment ce qui, nous pressentons, sera. Ils constituent tous des appels à repenser entièrement le mode de fonctionnement social d'aujourd'hui et à oser vivre ce que certains nomment l'utopie mais qui n'est que Bon Sens. Inutile de ne s'en tenir qu'à proclamer, il faut aussi agir. Pourquoi ne pas tenter de vivre ce qui sommeille en vous ?

Les *Appels d'une vie* relatent différentes étapes de ma vie jusqu'à notre rencontre, Pauline et moi. Ils forment une courte autobiographie thématique. Ces poèmes pourraient servir d'introduction aux récits de voyage commentés qui sont présentement en préparation. Sur le canevas d'un journal de voyage, je partagerai mon cheminement de vie[1].

Les *Appels de la Mémoire* présentent deux contes tirés de la mémoire du temps. Ils racontent la vie de plusieurs d'entre nous, les humains. Pour chacun de nous, la forme peut différer mais l'esprit, l'essentiel reste identique. Nous sommes tous issus de la même Source, de la même Matière subtile, seul notre forme change.

À la maison, nous gardons toujours quelques copies de la plupart des textes de ce livre. Ils sont un moyen parmi d'autres d'éclairer les êtres que nous accompagnons dans leur processus d'autoguérison.

Nous les présentons généralement aux gens dans un cahier avec le poème *C'est pour vous* en page couverture. Nous vous l'offrons ici en guise d'invitation à poursuivre la lecture de *La Voix du Cœur*.

---

1   Pour en savoir plus, consultez la description des titres en fin d'ouvrage.

C'est pour vous

Ces écrits
Sont le fruit
De l'Amour inspiré
Sont l'Amour manifesté

Ils veulent servir
Ils veulent agir
Mais pour passer à l'action
Demandent votre collaboration

Sans personne pour les lire
Ils ne peuvent dire
Ils ne peuvent communiquer
Ils ne peuvent contribuer

Mais à travers la lecture
Seront dévoilés leur essence
Leur parfum, leur fragrance
Sans fard ni parure

Du Cœur, regardez-les
Certains vous appelleront
De l'âme, lisez-les
Directement, ils vous parleront

Ils sont à vous
Sans restriction
Ils sont vous
D'une certaine façon

Prenez-en un, prenez-en dix
Ou prenez tout
La seule limite qui existe
S'il en est une
Est en vous

PARTIE I

Appels à la Conscience

Ta voie s'ouvre

Quand tu t'ouvres
*À **Son** expérience*
Tu découvres
***Son** existence*

Randonnée céleste

Je suis depuis quelques jours dans la campagne de San Carlos, un petit village agricole de l'arrière-pays du centre du Chili. Je médite dans une clairière arbustive près des champs de *remolacha*[1]. Les grillons chantent avec enthousiasme, la végétation est en fleurs. Ici, l'été bat son plein en ce 31 décembre 1993.

J'avais apporté calepin et stylo avec moi, je Savais. J'écris **Randonnée céleste** d'un trait, tout en rimes. Il vient du fond de mon être. Il s'agit de mon premier poème de cette nature.

J'en avais déjà écrit quelques-uns auparavant à des femmes avec lesquelles j'étais en amour. Ils véhiculaient des messages de l'ordre de la passion, de l'amour possessif. Seul mon état dit *amoureux* demeurait le dénominateur commun de ces élans poétiques.

Avec **Randonnée céleste** je prends conscience de l'ouverture de ma fenêtre sur la vie, de l'élargissement du spectre de l'amour. Je vis seul et suis encore en amour, me dis-je, mais sans objets définis, sans discrimination.

Autrefois focalisé sur une personne, l'amour rayonne maintenant de tous côtés. Je suis en Amour avec l'Univers. Inspiré par cet état qui m'habite, je l'exprime en vers.

Merci.

José Manuel

L'être humain a tendance à chercher l'Amour et la Paix à l'extérieur de lui. Tôt ou tard les évènements de la vie l'amèneront à se tourner vers l'intérieur afin d'y prendre appui. C'est la destination, rentrer chez Soi. Ce lieu est Amour. Il est Paix, une paix profonde que rien ni personne ne peut troubler.

Puisse ce poème vous faire vibrer et réveiller en vous cet état de Paix et d'Amour.

Pauline

---

1   Betterave à sucre ; espagnol.

Randonnée céleste

Une fleur, un grillon, une chanson
L'âme s'ouvre sur l'horizon
Une fenêtre sur la vie
Une vision sur l'Infini

La Lumière de l'Amour jaillit
Du fond de l'âme endormie
À la force d'un ras de marée
À la douceur d'une giboulée

Tout se transforme
Pièce par pièce, sans exception
Une nouvelle vie prend forme
Sans cesse en transition

Le chemin avant la destination
Doit laisser à l'âme égarée
La joie de dévoiler ses secrets
Et d'en saisir leurs significations

Ainsi, chemin faisant
Chacun découvre sa voie
Au rythme de ses choix
Et va toujours de l'avant

Il croise des randonneurs de la vie
Une fois, 10 fois, 100 fois et encore
Tous semblent différents de lui
Baleine, araignée, humain ou condor

Il affronte nombreux obstacles
Dont les pires sont de sa création
Car seule l'implacable raison
Construit de tels embâcles

Chaque instant est particulier
Fruit des instants passés
Semence des instants à venir
Ils forgent le chemin à parcourir

Chaque vie est unique
Chaque parcours différent
Mais tous conduisent inévitablement
En ce lieu méconnu et magique

Voilà donc ce lieu-dit !
Il n'était plus loin que ça ?
Avoir su, j'y serais déjà !
Pourquoi ne m'a-t-on pas dit ?

Pourquoi tant de détours ?
Des difficultés toujours ?
Écoute le Silence et il te dira
Regarde l'Invisible, tu verras

La Caverne céleste est en toi
En toi est l'Univers infini
Chausse les souliers du Cœur et vois
Découvre l'Infini ici

Tu connais maintenant
Ce chemin du Cœur
Il se parcourt en un instant
Dans l'Espace intérieur

Tu n'es qu'une manifestation
Une parmi l'innombrable diversité
Celle de l'Infini, de l'Unicité et de l'Amour
Puisqu'il n'y a qu'Un

Ami

J'habite depuis quelques mois chez un ami en Bolivie. Nous parlons du Pérou où j'ai l'intention d'aller. Je ne connais rien de ce pays. Il m'explique que le tourisme y est très risqué. Les visiteurs sont souvent attaqués et volés.

Les bouquins de voyage recommandent de porter le sac à dos devant soi et non derrière ! Sinon, avertissent-ils, des gens l'éventrent discrètement d'une fine lame et y retirent ce qu'ils peuvent à l'insu du voyageur. Un routard m'a même suggéré de grillager mon sac à dos comme plusieurs le font. À La Paz, Bolivie, les habitants se moquent des touristes arrivant du Pérou. Ils les appellent *Los caracoles con la casa a la panza*[1].

Ce discours me fait peur. Je suis inquiet et tendu juste à l'idée d'aller au Pérou. Vivre dans un état oppressant ne m'inspire pas un instant. Pourtant j'aimerais sillonner ce pays, le découvrir… Que faire ?

Peu à peu je me détache des biens qu'on pourrait m'enlever, de mes effets personnels. J'écris **Ami** et transforme ma peur. Elle fond et fait place à un état de sérénité. J'irai au Pérou.

José Manuel

Le sentiment de manque provoque l'attachement à quelque chose, à un objet, à une personne. Imaginez ce qui adviendrait si vous perdiez cet objet, cette personne ou votre vie.

La peur de perdre érige une panoplie de limitations. Elle bloque notre énergie, notre créativité. Quand on n'a plus peur de perdre, qu'on n'a plus rien à perdre, apparait alors le germe de la Liberté, la Liberté d'être Soi.

Puissent ces lignes vous faire écho.

Pauline

---

1   Les escargots portant leur maison sur le ventre.

Ami

Ami, toi qui me vois passer
Mon gros sac sur le dos
Ami, toi qui y vois le gros lot
Sache que je n'ai rien à voler

Cet appendice porté au dos
Est comme la maison de l'escargot
J'y tiens les choses du quotidien
Mais rien que tu pourrais faire tien

S'y trouve un lit pour la nuit
Quelques vêtements salis
Du pain et du fromage
Et une eau tiédie par le voyage

J'y garde des mots choisis
De la famille et des amis
Et quelques notes ramassées çà et là
À redistribuer par-ci, par-là

Tu peux toujours m'assaillir, ami
Mais que feras-tu de ce butin ravi ?
Il te sera peu profitable
Alors qu'il m'est indispensable

Ma richesse n'est là
Oui, tu trouveras un peu d'argent
De quoi vivre un temps
Mais que gagneras-tu avec ça ?

Des nécessités, des plaisirs futiles et quoi ?
Des remords, une tache sur ton cœur…
Des souffrances, une vie de douleurs…
Il n'en vaut pas la peine, crois-moi !

Ma richesse n'est point là
Dans mon Cœur tu la découvriras
Ses trésors sont incalculables
Mais pourtant impalpables

Si ton couteau m'ouvre le cœur
Du sang rouge et chaud jaillira
Le trésor s'envolera
Et tu sombreras dans la terreur

Tu ne récolteras rien de bon
Épouvante et folie t'envahiront
Ami, je n'ai rien à voler
Rien qui puisse te raviver

Par ce geste de détresse
Ton âme tu blesses
Tu l'atteins profondément
Tu t'éteins assurément

Si tu me vois passer
Rien n'est perdu pour toi
Marche à mes côtés
Un lien se créera, aie foi

Tu accéderas à ma richesse
Elle te laissera les mains vides
Mais ton cœur sentira l'allégresse
Une Joie et une légèreté limpides

On se quittera les deux enrichis
Portant en nous un brin d'Amour
On se dira *Au revoir, à samedi* !
Ou *Adieu* pour toujours

Ami, je vibre à tes malheurs
Si t'arrive l'envie de me voler
N'éventre ni mon sac ni mon cœur
Viens plutôt me parler

Mais si tu ne peux t'en empêcher
Je saurai Comprendre et Pardonner
Dans ce monde ou dans un autre
Je tâcherai de t'accompagner
Ami, je suis avec toi

Soldat, ô toi soldat

Je marchais dans le quartier des ambassades à Asunción, capitale du Paraguay. Les ambassades étaient abritées dans de somptueuses villas fleuries entourées de hautes clôtures et de murs. L'une après l'autre elles s'alignaient face à ce large boulevard où je déambulais.

L'endroit s'avérait peu attrayant pour le marcheur. Je me laissais absorber par les pensées que l'endroit me suggérait. Les ambassades représentent les pays. Leur richesse démesurée détonne sur les autres constructions de la ville. Elles se protègent contre l'assaillant appréhendé.

Je pense à la guerre. Je vois les soldats endoctrinés par le verbe de la dualité, de la séparativité, du mépris et de la haine, partir tuer leurs frères et sœurs pour sauver la dite patrie. Ils n'y voient plus clair dans le feu de la machine guerrière.

J'y pense longtemps. Je veux parler à ces soldats aveuglés par des éclats de vengeance et de soi-disant justice. Je veux les atteindre au delà de la brume d'inconscience les enveloppant. Plusieurs mois plus tard, en Bolivie, j'écris *Soldat, ô toi soldat.*

José Manuel

Les guerres sont un reflet de nous-mêmes. On les décrie, les juge, les condamne mais il n'en reste pas moins qu'elles nous habitent quelque part. D'une façon ou d'une autre nous les alimentons par nos gestes, nos paroles, nos pensées ou même par le regard.

La paix autour de soi commence par la Paix en soi. Un jour, bienheureux soldat, tu déposeras les armes en disant *Comment ai-je pu ? C'est tellement absurde !*

Ce texte s'adresse au Cœur de celui que la haine, la colère ou le ressentiment, rongent. En y regardant de près peut-être découvrirez-vous en votre cœur des rancunes plus ou moins avouées. Puissiez-vous vibrer à ces mots et faire place à l'Amour.

Pauline

TRIO :

Soldat, ô toi soldat

1 – Valeureux soldat

Je suis un valeureux soldat
Je défends ma patrie fièrement
La mort, je ne la crains pas
Si c'est pour défendre mon régiment

Sous mon vénérable drapeau
Je m'imprègne d'une force illimitée
Pour exécuter les ordres donnés
Lors des missions ou commandos

Je sais que je mets ma vie en jeu
Je sais que ma famille s'inquiète
Mais j'œuvre pour des lendemains heureux
Où une fois l'ennemi anéanti on fera la fête

Ma mission est honorable
Sans moi, ce ne serait pas vivable
Car on nous réduirait en poussière
Et la vie nous serait amère

Chaque opposant tué
Chaque machine détruite
Me permettent de continuer
Au delà de mes limites

Mais quand ces salauds d'en face
Osent blesser mon compagnon
Je bous de rage tel un canon
Et détruis tous ces rapaces

Je débarrasse la terre
De tous ces êtres indésirables
Ceux qui provoquent l'infâme misère
Tous ces stupides, ces incapables

Il faut faire le ménage maintenant
Laisser le terrain propre et dégagé
De tous ces détritus ambulants
Qui polluent, sapent notre liberté

Je travaille pour la paix
Pour le bonheur des miens
Et la médaille, quand je l'aurai ?
On doit me reconnaitre, j'y tiens !

Moi, valeureux soldat, me sacrifie pour vous
C'est un don de soi inestimable
Je suis en quête du paradis promis
En attendant, construisez-moi un monument
Le plus grand, le plus beau et le plus cher qui soit

2 – *Malheureux soldat*

Mon pauvre ami, que fais-tu là ?
Vois plus loin que le bout de ton fusil
Dans le camp de ceux qui sont là-bas
Là où se trouvent, dis-tu, tes ennemis

Des gens comme toi y vivent
Avec leur famille, leurs amis
Pour eux, c'est toi l'ennemi
Le méchant, celui qu'ils méprisent

Le stress de la violence guerrière
La quête du pouvoir, de la suprématie
Font oublier que nous sommes tous frères
Que derrière le rival se cache un ami

Tu te révoltes si on blesse un copain
Mais combien de frères as-tu décimé ?
Combien de familles as-tu accablé ?
Ils sont tous, comme toi, des humains

Probablement sont-ils différents de toi
Autre pays, autres coutumes, autres vies
Comme toi tu es différent d'eux aussi
Les haïr, les détruire, ça donne quoi ?

Cette différence est une richesse
À préserver comme un fabuleux trésor
Elle contient plein de promesses
De découvertes, d'enseignements et encore

Approche-les sans préjugés
Regarde, écoute, touche, respire
Ose la rencontre sans les maudire
Ton cœur va s'ouvrir, s'émerveiller

Ô toi, soldat valeureux
Si tu œuvres pour la Paix
Pour un futur heureux
Lâche ton fusil à jamais

Car chaque opposant que tu élimines
Se multiplie en cinq, dix ou cent
Tous plus féroces que le précédent
Gorgés d'une vengeance qui les anime

Pires seront les atrocités
Plus la soif vengeresse s'accentuera
Au cœur des hommes aveuglés
Par le délire de l'incessant combat

La souffrance est le moteur de la guerre
Au départ l'ignorance lui donne l'élan
L'ego démesuré dirige la machine meurtrière
Et la frustration du peuple sert de carburant

Mais où va ce véhicule infernal ?
Quel est son cap, son destin final ?
La réconciliation des humains ?
De meilleurs lendemains ?

D'une graine de chiendent
On ne récolte pas l'œillet
De la violence, du sang
Ne germeront ni le Bonheur ni la Paix

3 – Honorable soldat

Ô toi, soldat malheureux
Toi qui désires un monde de contes
Oublie le drapeau de la honte
Oublie la médaille du tueur glorieux

Arrête ce massacre insolite
Abandonne les armes de la mort
Humblement, fais don de ton corps
Pour que la vie enfin ressuscite

Si tu as vraiment le courage
Si tu crois vraiment en la Paix
Si tu aimes ta famille, ton entourage
Et si la mort ne t'effraie

Si tu veux sincèrement
Écoute attentivement ceci
Tu peux faire plus maintenant
Bien plus que de tout lâcher ici

Que tu en sortes vivant ou pas
Cela n'a point d'importance
Le geste posé a ses conséquences
Et ça, jamais on ne l'oubliera

Même si l'on tache ta tunique immaculée
Ton ultime instant d'honorable sérénité
Aura suffi pour lever l'opaque voile
Sur la conscience d'un copain, d'un rival

Ce n'est peut-être qu'un petit pas
Mais en avant, dans la bonne direction
Ce qui vaut mieux qu'un marathon
Vers les enfers les plus bas

Honorable soldat, lâche tout ton attirail
Vêts-toi d'une longue tunique blanche
Sors bien à la vue de tous
Et chante d'une voix profonde et douce
La Force d'une vie Pure, en Paix

La bête

Un bon ami à moi parle souvent de sa bête. Il désigne ainsi son corps incluant les métabolismes organique et psychologique. Lorsqu'on se rencontre on discute différents aspects de cette bête. Ce mot fait maintenant partie de notre vocabulaire.

Un jour il me propose d'écrire quelque chose sur la bête, un poème. Ce que j'ai fait ! Après l'avoir lu il me souffle *Tu es dur avec la bête…*

José Manuel

L'incarnation dans une peau humaine offre une grande opportunité d'expérimenter dans la matière.

La bête s'adresse à vous, être incarné dans une peau de bête. Si vous apprenez à la connaitre, à vous en faire une alliée, ce sera le début de l'harmonie.

À toujours la combattre vous alimentez la dualité. Les parties se séparent, la guerre s'intensifie. La bête constitue un outil d'évolution extraordinaire permettant d'apprendre à unifier les polarités au delà du jugement du bien et du mal.

Puisse ce poème vous amener à la réconciliation avec votre bête.

Pauline

QUINTE :

La bête

1 – La bête passionnée

Il a une bête passionnée
Il ne sait la diriger
Elle mène le bal
Vers le crash final

Une bête passionnée
Focalise sur ses désirs
La contrarier
Provoque le délire

Ses passions multiples
Ont toutes pour principe
Avoir plus et s'accrocher
S'en gaver jusqu'à crever

C'est la course agitée
De la bête débridée
Sans chef suprême
Qui à l'ordre la ramène

Elle vogue dans l'insécurité
D'une liberté apparente
Erre dans l'obscurité
D'une brume étouffante

La bête affolée
De son air craintif
Se jette sur un palliatif
Cachant sa vérité

Elle s'élude elle-même
Évite ses problèmes
Allonge son itinéraire
En allant se distraire

Elle peut être avide
Garnir son grand vide
D'objets convoités
Pour s'édifier une sécurité

Devenir gourmande
Se calmer par le dedans
Toujours plus elle demande
Le cœur souffrant

Ou se montrer jalouse
S'agripper à ses acquis
Imposer sa tyrannie
De peur de perdre sa blouse

Mais rien n'y fera
Un jour tout s'écroulera
Qu'est-ce qui des alentours
Peut la combler d'Amour ?

Ni avidité ni jalousie
Ni goinfrerie ni passions
N'engendrent la Lumière
Toutes ces voies de l'illusion
Comportent un prix

2 – La bête contrariée

Ses désirs inassouvis
Ses besoins effrénés
Créent un vide indéfini
La bête est contrariée

Sa quête sans fin
Ne trouve réponse
Elle cherche en vain
Crachant semonces

Cette bête en feu
Crépite en dedans
Brûle continuellement
Se consume peu à peu

Les peurs engrammées
Les angoisses refoulées
Font rage à l'intérieur
Attisent le feu destructeur

À vouloir contenir
Le brasier de colère
Elle se fera détruire
Ronger les viscères

Cette bête explosive
Se pompe petit à petit
Les aléas de la vie
La rendent agressive

Un jour arrivera
Où un innocent passera
Un faible sans défense
Subira ses offenses

Lynché savamment
Elle le réduit à néant
Tentant de se soulager
Du trop-plein accumulé

Elle frappe sans retenue
Le foudroie avec émotion
Ses tirs sans raison
L'abaissent à vaincu

Avec grand fracas
La haine elle incruste
Mais ne réglera son cas
Faute de viser juste

Cette rage insensée
Révèle la haine de soi
Une bête non maîtrisée
Empêche d'être soi

On affuble les autres
De ce qui nous appartient
Car parfois on se craint
Plus que tout autre

On n'ose se regarder
De peur de confirmer
Nos propres faiblesses
Notre propre détresse
D'avoir à changer de vie

3 – *La bête essoufflée*

Elle est nonchalante
Son avance est lente
Elle est harassée
Complètement vidée

La bête est essoufflée
Des abus du passé
Des passions accomplies
Sans le moindre souci

Cette bête désillusionnée
A épuisé ses ambitions
Sans y trouver de raison
Et commence à piétiner

Elle imbibe d'alcool
L'échec de son envol
Niant les maux résiduels
Dans l'euphorie virtuelle

Ou elle fuit autrement
Par un excès maladif
Travail, sport intensif
Sexe, fric ou stupéfiants

Ces bêtes assombries
Acculées un jour à rien
N'arrivent à voir loin
S'enlisent dans l'atonie

Elles n'ont plus le Feu
Qui les ferait avancer
Vers des espaces Lumineux
Où la vie peut s'amorcer

Oui, la bête en liberté
En sera une passionnée
Qui un jour s'essoufflera
Avant de sombrer au trépas
Pourquoi ne pas l'apprivoiser ?

4 – *La bête délaissée*

Si on la laisse
Satisfaire ses caprices
Elle ira en baisse
Au fond du précipice

À lui confier les rênes
On ne s'y sent chez soi
Elle nous entraîne
Vers un grand désarroi

Elle va nous embarquer
Dans des labyrinthes tordus
Nous exaspérer à chercher
La sortie qu'on ne trouve plus

Viendra la maladie
Qui la mettra en échec
Son capital sera réduit
On devra faire avec

Il est en notre pouvoir
Même en notre devoir
D'orienter notre bête
D'éviter qu'elle embête

Elle est merveilleuse
Il n'en tient qu'à nous
Qu'elle soit heureuse
Et nous emmène au Tout

La bête en liberté
Nous habite
Mais si nous l'habitons
Elle devient notre maison
Un Grand Véhicule

5 – *La bête apprivoisée*

Ah cette sacrée bête !
On a beau la critiquer
Sur le trajet de notre quête
On ne peut s'en passer

À chacun la sienne, ici
Ce corps, cet abri
A sa personnalité
Ses limites, ses facultés

La bête a ses instincts
Des forces l'animent
La propulsent sans frein
Au loin ou dans l'abîme

Ses élans aussi elle a
Des soifs à satisfaire
On la laisse faire
Ou on la met au pas

Pourquoi la condamner
Si elle a couru à sa perte ?
On n'a su l'apprivoiser
La guider, l'esprit alerte

À nous de décider
De s'en occuper
Ou la laisser faire la fête
Se heurter encore la tête

Arrivée au tombeau
On se dira d'en haut
Si j'avais su !
Je n'y manquerai plus...

Si on la rend docile
Prête à nous servir
Au lieu de nous asservir
La vie sera plus facile

La bête articule
La Matière à l'Esprit
Elle nous véhicule
Au cœur de la Vie

Si on sait la soigner
L'observer, la maîtriser
Dans la Gaieté elle avancera
En Harmonie elle servira

Si on lui fixe une direction
Celle de la Claire Lumière
Elle n'ira plus en arrière
Nous mènera à destination
Là où la bête n'est plus

Sens unique

En observant son entourage, il est facile de constater combien les gens sont préoccupés soit par l'argent, soit par le temps. Certains travaillent beaucoup pour payer les biens qu'ils possèdent, d'autres toujours affairés courent sans cesse après le temps. Ils s'évitent, consciemment ou non, des occasions de s'arrêter, de prendre le temps de vivre.

À travers leurs acquisitions et leurs activités ces gens recherchent un bonheur qui leur file immanquablement entre les doigts. Tandis qu'ils virevoltent dans ce tourbillon, cette agitation, ils s'éloignent d'eux-mêmes. Craignent-ils une rencontre intérieure en face-à-face ?

Chaque individu a la capacité de choisir sa vie. Bien qu'il se plaigne de sa condition, il continue dans son marasme. Entreprendre les changements nécessaires lui parait trop difficile. Il attend plutôt une situation de crise où, acculé au pied du mur, il amorce le mouvement.

Pauline

Avoir, faire ou être n'est pas la question. L'un n'exclut point les deux autres. L'important réside dans l'esprit qui nous anime, quelle que soit la voie que nous empruntions.

Veut-on plus juste pour avoir plus et combler un vide en soi ? Veut-on faire davantage simplement pour faire davantage et fuir un quelconque visage de soi ? Là est la question.

Peu importe que vous possédiez de grandes richesses ou non. Peu importe que vous soyez affairé ou non. Il importe seulement de prendre conscience, à travers ces quêtes, de l'objet de votre recherche, de reconnaitre ensuite que l'accomplissement de son but à l'extérieur de soi est nécessairement illusoire et finalement d'être simplement qui vous êtes, quoi que vous possédiez, quoi que vous fassiez.

Puisse **Sens unique** vous illustrer que l'ÊTRE ne dépend ni de l'AVOIR ni du FAIRE, mais qu'il est l'unique à détenir un Sens.

José Manuel

QUATUOR :

Sens unique

1 – Quel sens ?

L'humain cherche
Un sens à sa vie
De tout temps
Encore aujourd'hui

Naît-il pour mourir
Manger et dormir ?
Au delà de la survie
Où va-t-il ?

De la création
Il est le seul
Capable de réfléchir
D'orienter sa destinée

Il peut ainsi
Expérimenter
Grandir
Évoluer

Il emprunte
Diverses voies
À la recherche
Du Grand Soi

La direction
Qu'il prend
Suit les lignes
De sa conscience

Tout chemin
Quel qu'il soit
Le conduit
À la reconnaissance
De son Essence

2 – *Avoir, encore avoir*

Il accumule
Biens, possessions
Qui un temps
Le satisfont

Déceptions
Et plaisirs
Alternent
Continuellement

Il s'entête
À amasser
Pour se protéger
Se valoriser

Ses acquisitions
Servent d'assise
Fondement
Piètre et précaire

Quoi qu'il ait
Un vide demeure
Il se questionne
Sur sa valeur

La quête de l'AVOIR
Atteint sa limite
Quand richissime
Il choit

3 – Faire, toujours faire

Il organise
Projets, activités
Qui un temps
Le satisfont

Déceptions
Et plaisirs
Alternent
Continuellement

Il s'entête
À s'affairer
Pour se protéger
Se valoriser

Ses réalisations
Servent d'assise
Fondement
Piètre et précaire

Quoi qu'il fasse
Un vide demeure
Il se questionne
Sur sa valeur

La quête du FAIRE
Atteint sa limite
Quand essoufflé
Il choit

4 – *Être, juste Être*

Ni l'AVOIR
Ni le FAIRE
Ne le satisfont
Intrinsèquement

Il se tourne
Vers l'intérieur
En quête
De compréhension

Il découvre
Que ces voies
L'ont mené
En lui-même

Plus rien à gagner
Ni à prouver
Il peut ÊTRE
Juste être

Ses possessions
Ses réalisations
Deviennent outils
De l'expérience

Il se transforme
En profondeur
Réoriente
Sa destinée

Il explore
Sa Nature
Dévoile
Son Essence

Le sens
De son existence
Est de vivre
En conscience

Quel que soit
Son chemin
L'humain appréhende
En lui-même
Le Grand Soi

Course de vie

Ce poème est largement inspiré d'une des quatre réflexions bouddhiques qui suivent mes méditations. Elle affirme que la probabilité de naître humain est infime. Donc, vêtir ce corps lors d'une incarnation devient une exception, un privilège. Je n'avais écrit que *Le poids de la chance* en 1994. Deux ans plus tard, alors que Pauline et moi retravaillions la forme et l'esprit de l'ensemble des textes, il nous est apparu évident que ces lignes demandaient une suite.

Nous avons entamé la deuxième partie au printemps mais n'étions pas encore prêts à l'achever. Il manquait quelque chose en nous. Comment serait-il possible d'exprimer sincèrement, du Cœur, ce qui n'a pas encore pleinement résonné en notre être ? L'ensemble fut complété à l'automne. Voici donc *Course de vie*.

José Manuel

Les situations du quotidien, les évènements, sont des opportunités d'apprendre, de devenir plus conscient. Considérer sa vie comme malchanceuse, désagréable, difficile, génère des émotions qui drainent l'énergie. En acceptant ce qui arrive, simplement, sans jugements, la vie s'aborde avec Sérénité.

Course de vie s'adresse à tous les êtres sur le chemin de la Conscience, à tous ceux qui vivent déboires et coups durs. Puissiez-vous découvrir cette Paix intérieure qui permet d'accueillir les expériences comme source d'enseignement.

Pauline

DUO :

Course de vie

1 – Le poids de la chance

J'aurais pu naître fourmi
Et toujours travailler
J'aurais pu naître souris
Et passer mon temps à grignoter

J'aurais pu naître pinson
Et tous les jours chanter
J'aurais pu naître saumon
Et passer ma vie à nager

J'aurais pu naître perroquet
Et converser chaque jour
J'aurais pu naître aussi poulet
Et picorer en attendant le four

Mais je suis né humain
La conscience m'est offerte
J'ai le libre choix, certes
Je trace mon chemin

Et parmi les humains, j'ai de la chance
Je suis né sans notable carence
Loin de la guerre et de la faim
Peu sont ceux qui ont ce destin

Tous les jours, je côtoie la misère des gens
Bien souvent supérieure à la mienne
Une misère qui prend au dedans
Je fais ma vie, qu'à cela ne tienne…

Non, ces ressources, ces capacités
Ne sont pas éternelles
À quoi bon tout ce potentiel ?
Si ce n'est que pour le dilapider

Cette chance a son double tranchant
Il ne faudrait pas l'oublier
Vais-je en jouir tout simplement ?
Il y a bien plus à considérer

Ma chance dépasse mes espérances
Elle en porte ses conséquences
Je dois en prendre la responsabilité
Puissé-je être capable de l'honorer
D'avoir la force d'aller de l'avant

2 – *Quelle chance ?*

Mais qu'est-ce que la chance ?
Sinon une situation, une opportunité
De vivre une expérience
Et, sur le chemin, d'avancer

Tout ce qu'en soi on bénit
Est à utiliser, à exprimer
Le figer, s'en faire le geôlier
C'est se couper de la Vie

Tout ce dont on a l'usage
Est à faire circuler, à partager
Le posséder, en garder l'exclusivité
C'est à la Nature un outrage

Il n'y a plus de chance
Chacun a ce qui lui convient
Pour apprendre la Vie, son Sens
Où plus rien ne nous appartient

Mais qu'est-ce que la malchance ?
Sinon une situation, une opportunité
De vivre une expérience
Et, sur le chemin, d'avancer

Tout ce qu'en soi on maudit
Peut se questionner, s'approfondir
L'ignorer, le semer dans l'oubli
C'est aussi se laisser mourir

Tous les déboires qu'on s'attire
Peuvent se questionner, s'approfondir
Loin d'être des calamités
Ils ouvrent une voie pour grandir

Il n'y a plus de malchance
Chacun a ce qui lui convient
Pour apprendre la Vie, son Sens
Où plus rien ne nous atteint

Tout ce qui Est
Résulte de la manifestation
Des pensées que tu émets
Dans l'Univers en mutation

Il ne manque que ta conscience
Pour en découvrir l'Essence
Tu es l'auteur de ton décor
L'architecte qui s'ignore

Ce royaume qui t'entoure
Émerge de ton intérieur
Tout droit de ton Cœur
Et te revient à son tour

Ni chance, ni malchance
N'existent en soi
Elles se manifestent dans l'inconscience
Mais si tu sais Voir au delà
Elles s'offriront comme Expérience
Dont tu en découvriras un jour le Sens

Vois l'eau en ton Cœur

C'était le **Jour de noces**[1]. Nous marchions sur le sentier, Pauline et moi, en route vers le sommet du mont Girard[2]. En ce jour d'automne, il avait neigé durant la nuit.

La nature radieuse étincelait de beauté. Nos cœurs emplis de Sérénité et d'Amour, nous avancions doucement, arrêtant ici et là. Nous nous unissions à la Nature, au Cosmos, à l'Univers.

Parfois sous la neige, parfois à vue, un filet d'eau serpentait sur le sentier caillouteux. Je l'entendais, il me parlait. J'arrêtais. J'écoutais. Il coulait à travers moi, me traversait le Cœur en douceur tel un courant ininterrompu.

Depuis ce temps, je me lie à l'eau de chaque rivière ou ruisseau rencontré et il coule à travers moi. N'importe quand, nous pouvons nous unir et échanger mutuellement.

Les jours suivants, je partis travailler dans un camp de forages miniers dans les sauvages pessières de l'Abitibi[3]. Tout près coulait une rivière enneigée où j'allais me recueillir. Avec elle, la lune et la forêt, je communiais.

Je logeais dans une cabane en fer montée sur skis. Durant mes temps libres, j'écrivis **Vois l'eau en ton Cœur**, assis sur mon lit en caoutchouc-mousse.

José Manuel

La Nature nous enseigne de grandes leçons de Vie. Elle est toujours là, présente, où que nous soyons. En l'aimant sans condition, en l'accueillant au plus profond de notre être, elle nous conte son histoire.

L'eau d'un ruisseau enseigne l'abandon. L'insecte, l'oiseau, l'animal, nous apprennent sur le détachement, la détermination, le non-jugement, la simplicité de la Vie.

---

1   Lire **Noces sacrées** dans *Appels d'une vie*.
2   Petit mont à proximité de Sherbrooke, province de Québec.
3   Ultime région nordique du Québec urbanisé.

Puisse ***Vois l'eau en ton Cœur*** vous donner le goût d'arrêter dans la Nature, d'ouvrir votre Cœur et de vous laisser imprégner par sa Sagesse.

Pauline

TRIO :

Vois l'eau en ton Cœur

1 – La source

Vois l'eau jaillir du rocher
Pure et cristalline
Telle l'âme incarnée
Issue de source divine

Vois l'eau tracer son chemin
Elle modèle tout au passage
Sculpte le terrain
Forme le paysage

Comme l'être qui avance
Influe sur son entourage
Affecte les rouages
Du cycle des existences

Vois l'eau limpide donner vie
À ceux qui s'en abreuvent
Comme de l'Être pur jaillit
De l'Amour tant qu'ils en peuvent

Vois l'eau du lac se calmer
Un instant puis repartir
Vois l'être s'arrêter
Un instant pour réfléchir

Vois aussi cette eau virer
Dans un contre-courant
Elle répète le mouvement
Sa course est différée

Tel l'être tourmenté
Reste hors du chenal
Emporté dans la spirale
Des incessantes pensées

2 – La course

L'eau reprend le courant
Continue de descendre
Franchit seuils et méandres
À torrent ou doucement

Comme l'être parcourt
Son chemin par détours
Sa descente sous l'horizon
Vers les instincts, les passions

Vois alors l'eau s'imprégner
D'immondices, de saletés
Ramassées çà et là
Laissées un peu plus bas

Tel l'être se souille
Les corps physique et subtil
Ses relations il brouille
De ses pas malhabiles

Vois l'eau couler
Toujours plus bas
Vois l'eau se polluer
Et saboter la joie

Vois-toi marcher
Toujours plus bas
Vois-toi t'empoisonner
Et saper la foi

Vois l'eau qui un jour
Se lie à un être vivant
S'intègre à lui, en dedans
Ou n'y fait qu'un tour

Elle lui inscrit
Par ses propriétés
Un point d'énergie
Ou de toxicité

L'être, quant à lui
Habite une société
L'avenir il bâtit
Pour la postérité

Il la façonne à son image
L'imprégnant à son passage
Des déchets accumulés
Ou de sa Nature immaculée

3 – Le retour

Mais l'eau n'est prisonnière
De sa descente à la mer
Si elle se montre au soleil
Elle ne sera plus pareille

Le rayonnement solaire
La fera un jour s'élever
Distillée, purifiée
Elle retombera sur terre

À nouveau cristalline
Elle fertilisera
Des vallées aux collines
La vie s'épanouira

Tel l'être libéré
Dégagé de ses maux
Perçoit des réalités
D'un autre niveau

Son Cœur devient Pur
De l'Amour il génère
Son Esprit éclaire
D'une Sagesse d'azur

Son Essence manifestée
L'humanité il fécondera
D'un Amour immaculé
Qui partout inondera

Vois la goutte maintenant
Une seule fois passer
Alors que le courant
File sans discontinuité

La goutte a peu de tonus
Le flot est sa puissance
Venant à bout du roc et plus
Par sa seule présence

Toi, être qui passe
Isolé du Flux divin
Tu sèches dans les cavités
De ta personnalité

Toi, être qui passe
Ouvre ton Cœur
À la Source sacrée
Viens œuvrer avec Joie
Sur le chantier de la Vie

La loi du moindre effort

Durant de nombreuses années, j'ai été stoppeur par besoin mais aussi par joie. Un vent de liberté me traversait durant ces moments. Maintenant, je suis plus souvent celui qui conduit mais je n'ai pas complètement délaissé le stoppeur en moi.

Comme automobiliste, je considère un moindre effort que de prendre un stoppeur. Il ne m'en coûte rien et je rends service. Pourquoi obliger les gens à posséder une auto ou à utiliser les transports en commun devenus très chers ? Si j'emprunte le chemin qu'il parcourt, pourquoi ne pas l'amener ?

Dans le même ordre d'idée, je considère un moindre effort de rouler cinq ou dix kilomètres hors de ma route que de laisser le stoppeur le faire à pieds. Mon apport supplémentaire est minime par rapport au bénéfice du marcheur. Cette dernière portion de chemin aurait pu lui demander une heure d'attente au bord de la route.

Cette attitude d'entraide fut à l'origine de *La loi du moindre effort*. Depuis lors, le texte a été révisé en profondeur… à la suite de longs efforts !

José Manuel

Ce poème s'adresse à celui pour qui la vie exige de constants efforts. Puisse-t-il, à travers ce texte, apprendre à doser ses énergies, choisir ses priorités et aussi alléger son existence.

Puisse *La loi du moindre effort* vous donner le goût de mettre à contribution vos ressources afin d'alléger l'existence d'autrui.

Pauline

La loi du moindre effort

Connaissez vous cette loi
Du moindre effort universel ?
Elle anime mes choix
Me donne des ailes

Elle peut faire avancer
L'ensemble de l'humanité
Avec moins de carburant
Moins d'efforts accablants

C'est un guide quotidien
Lors des imprévus
Ou des moments attendus
En tout temps, il convient

C'est une façon
De voir la vie
Si nous la résumons
Elle dirait ceci :

Ton chemin de vie
Son évolution
Doit être suivi
Sans hésitation

À l'orée d'un chantier
Tu estimes son ampleur
Pour t'ajuster
Aux moyens de l'heure

Si tu daignes gaspiller
Tes énergies vainement
Tu risques de t'esquinter
Rester cloué un temps

Comment espérer
Tout régler en solo ?
Inutile de t'entêter
Mettre en jeu ta peau

Tout faire toi-même
Avec fière arrogance
Ruine à l'extrême
Tu vis l'indépendance

Mais si tu laisses faire
Les autres à ta place
Assis sur ton derrière
Tu feras du surplace

Si pour toi on fait tout
Te voilà à genoux
Pourquoi alors apprendre ?
Pourquoi entreprendre ?

Replié sur toi-même
Avec tes souffrances
Attendant ton requiem
Tu vis la dépendance

Prends ce qui te revient
Accomplis-le avec soin
Laisse l'espace vacant
Aux autres intervenants

Chacun a ses habiletés
Sa tâche à compléter
Tous ont leur importance
Vis l'interdépendance

Maintenant te voilà
Plein de vitalité
Fort de cette loi
Prêt à travailler

C'est la condition à la loi
Afin d'être disposé
Décidé à s'engager
Dans la vie, avec Foi

Tu peux supporter
Celui qui a besoin
Marcher à ses côtés
L'aider à faire le point

Cet élan va le propulser
Sur son chemin de vie
Lui donner la dextérité
Là où il construit

Ce coup d'envoi reçu
Par l'être dépourvu
Ne coûtera une tuile
À qui c'est facile

Voilà le moindre effort
Répondre aux nécessités
Selon nos capacités
Sans jouer au plus fort

On doit doser notre apport
Le cibler aux vrais besoins
L'ajuster à nos moyens
Sans s'affaiblir à tort

Chacun a ses facilités
Ses points forts, ses talents
À mettre en mouvement
Au service de l'humanité

À s'entraider
Les forces sont décuplées
On peine tous moins
On avance plus loin

Si le don dépasse
Les besoins présents
Avec discernement
On remet en place

Le chemin de l'essoufflé
On ne peut lui marcher
Il a ses murs à franchir
Pour guérir et grandir

Il doit expérimenter
Palper la vie
La jouer pour lui
Figerait sa destinée

Aimer avec Sagesse
C'est le juste milieu
Fais de ton mieux
Avec Joie et Allégresse

Le Moindre effort universel
C'est donner du sien
Apporter son soutien
Activer ses facultés
En toute Humilité

Le Moindre effort universel
C'est offrir avec justesse
Servir la bonne adresse
Donner ce qu'il faut
En toute Gratuité

Le Moindre effort universel
C'est partager dans la rue
Avec les gens, leur vécu
Laissant chacun voler
En toute Liberté

PARTIE II

Appels à la Transformation

Sa Voix t'ouvre

*Pour **Le** retrouver*
Tu dois souffler
Les vieux mythes
Qui t'habitent

La décision

Une amie, un jour, me confie qu'elle ne veut pas aimer, ne veut pas de conjoint. Après quarante ans de célibat bien sonnés, elle continue de considérer la vie de couple comme une aventure dangereuse et menaçante, une mare de souffrances dans laquelle on s'embourbe. Nombreuses situations de la vie l'effraient et le comble de ses peurs consiste en la relation dite amoureuse. Ce n'est certes pas la première personne que j'entends tenir ce genre de propos. J'ai plusieurs fois reconnu ce plaidoyer dans mon entourage. J'écris donc à cette amie *La décision* et la lui remets. Elle s'y reconnait aussitôt.

José Manuel

Les peurs cachent de profondes douleurs inscrites dans le corps et dont on n'a su encore se libérer. Ces souffrances issues d'expériences passées intenses, voire dramatiques, freinent aujourd'hui l'expression de la Vie en soi.

Inconsciemment, les situations du présent nous renvoient à ces évènements révolus provoquant une réaction extrême apparemment démesurée ou insensée.

C'est comme si à la vue d'une souris on s'imagine dévoré par les rats ou à la vue d'une bagarre on se croit déjà en guerre. Mais les peurs peuvent se dépasser, les douleurs se transformer en apprentissages. Alors la Vie s'épanouit pleinement.

Puissiez-vous à travers *La décision* reconnaitre les limites imposées par votre mental. Enfouie sous les peurs qu'il alimente, gît une graine de Vie qui ne demande qu'à éclore et s'épanouir. Puissiez-vous prendre contact avec ce germe en puissance afin qu'il vous donne la volonté de changer, d'avancer.

Pauline

DUO :

La décision

1 – Le calvaire du mort-vivant

Je ne veux pas voir
Il y a tant de désespoir
Je ne veux pas entendre
Ces cris que la peur engendre

Je ne veux pas parler
De peur qu'on rie de moi
Je ne veux pas marcher
De peur de trébucher une fois

Je ne veux pas travailler
De crainte d'un mauvais résultat
Je ne veux pas me promener
De crainte d'aller où il ne faut pas

Je ne veux pas aimer non plus
J'ai peur de souffrir encore plus
Je ne veux pas vivre en fait
J'ai peur de mourir au fait

Alors je ferme toutes les sorties
Et vis dans mon univers connu
Ici, il n'y a pas d'imprévus
Solitude et souffrance sont ma compagnie

Mais que fais-je ainsi ?
Enfermé dans la prison
De mes rêves interdits
Et de mes proscrites émotions

La peur de l'échec, de passer à côté
M'empêche d'avancer
La peur de souffrir, d'avoir mal
Me contraint à l'infernal

J'ai peur d'avoir peur
J'en souffre rien qu'à y penser
Voilà que la vie s'est écoulée
J'attends ainsi la mort
Dans la terreur et les remords

2 – Sa Résurrection

Et si je m'ouvrais sur les alentours ?
Si je me laissais pénétrer par la Vie ?
Cassant les murs de béton qui m'entourent
Laissant passer le vent, le soleil et la pluie

Qu'adviendrait-il de moi ?
Une ruine soumise aux intempéries ?
Une épave engloutie, un mourant au désarroi ?
Ou une renaissance, une nouvelle vie ?

Au croisement est le choix
On emprunte une direction
À quand la prochaine fois ?
À quand l'autre intersection ?

La peur de l'échec, de passer à côté
M'empêche d'avancer
La peur de souffrir, d'avoir mal
Me contraint à l'infernal

Alors que je pourrais admirer
Une fleur exubérante de beauté
Alors que je pourrais écouter ici
Le chant d'un oiseau, sa mélodie

Alors que je pourrais exprimer une vérité
Découvrir un nouveau sentier
Œuvrer pour le bien d'autrui
Contourner l'obstacle fortuit

Alors que je pourrais aimer de mon mieux
Et ainsi apprendre un peu
Sur les choses de la vie
Cheminant joyeux comme un apprenti

À quoi bon me retenir ?
Pourquoi encore souffrir ?
Laissons la vie se faire
Laissons la vie nous plaire

Laisse l'amour émaner de toi
Fragile au début, il se blessera
Mais chaque fois, il guérira
Pour mieux s'emparer de toi

À vouloir éviter la souffrance
On dit non à la Vie, à l'Amour
On se gâche l'existence
De peur de souffrir un jour

Mais l'amour possessif, celui qui torture
Agit comme miroir de nos blessures
Il n'est pas l'Amour vraiment
Celui dont l'expression est sans relent

L'Amour gagnera chaque esprit
Car sa Force est hors de la raison
Il est l'Essence même de la Vie
Source de Bonheur et de Compassion

Mur du son

J'ai un ami qui parle beaucoup. Lorsqu'on se rencontre, il mitraille le silence de mille paroles de façon ininterrompue. Il conte ses projets avec tant d'enthousiasme et de vivacité que bien souvent la communication réelle devient nulle. Un jour, j'ai compris que ce flux verbal déluré consistait en un écran derrière lequel il se cachait, protégeait son intimité, son fardeau de souffrances. Son stratagème a une certaine efficacité puisque rien ne peut l'atteindre... pas grand-chose du moins. L'écran sonore qu'il manifeste autour de lui est tel qu'il semble un mur de pierres infranchissable. Cette enceinte acoustique lui coûte cher cependant. À vouloir tant se protéger d'un danger qui n'est probablement plus, il se coupe de l'échange ou de la relation vraie avec les autres. Je lui écris *Mur du son*.

José Manuel

Il est plutôt facile d'identifier dans notre entourage quelqu'un qui parle beaucoup. Il est plus difficile de se reconnaitre comme tel.

Ce poème est dédié à ceux qui parlent sans arrêt, qui tuent le silence. Essoufflés, ils racontent leur vie, des projets, un film... ainsi ils s'esquivent de beaux moments, de belles rencontres.

Mur du son est imprégné d'Amour et de Compréhension. Puisse-t-il vous amener à vous apaiser. Dans le Silence du Cœur règnent la Paix et la Joie d'Être, où les mots sont alors superflus.

Pauline

Mur du son

Parler pour exprimer
Qui l'on est
Ce que l'on ressent
Ce qu'on a au-dedans

C'est la voie qui manifeste
Notre intime intériorité
Plus ou moins empreinte des restes
Au fil des siècles accumulés

Le verbe est la voie
De notre âme incarnée
Qui s'ouvre sur l'immensité
De l'univers en soi

Cette ouverture
Sur notre vraie nature
Nous lie au Cosmos
Nous lie à Ses forces

Mais la voix peut aussi
Nous enfermer, nous barricader
Nous isoler de la vie
Saper notre vérité, notre liberté

C'est ce qui arrive
Quand l'âme part à la dérive
Quand le mental prend la relève
Et que sa voix s'élève

Là, la machine n'arrête plus
Les paroles se perpétuent
Dirigées par le mental
Qui craint l'instant fatal

Car il sait que s'il est dévoilé
Si l'on reconnait sa machination
Il perdra sa supériorité
Là où il a toujours raison

Même s'il exprime sa confusion
Même s'il dit ses passions
Même s'il semble communiquer
Des choses de son intimité

Ce n'est que prestidigitation
Qu'un gros nuage d'illusions
Là uniquement pour créer
Une armure pour se protéger

La peur est si immense
Si présente, si intense
Qu'il va tout manigancer
Pour projeter l'image souhaitée

Derrière cet écran de fumée
Il résistera un temps
Se pensant en sécurité
À l'abri des tourments

Alors qu'au contraire
C'est dans sa propre misère
Qu'il s'est enfermé
Qu'il s'est isolé, cloîtré

C'est dans son monde étouffant
Qu'il baigne continuellement
Tellement effrayé d'en sortir
Qu'il préfère y mourir

Mais pourquoi donc périr
Dans cette souffrance, ce délire ?
Pourquoi rester dans le mensonge
Dans cette cité du songe ?

Le danger n'est plus
Pourquoi rester reclus
Derrière ce mur du son
Qui coupe nos horizons ?

La Lumière est là
Juste de l'autre côté
Du bord de la Vérité
Là où il n'y a plus d'apparat
Mais juste le Soi

C'est le moment de partir

Si je vous explique maintenant l'origine de ce poème il n'aura plus le même effet. Je vous suggère donc de le lire tout de suite avant de continuer cette page. À votre guise, vous pourrez lire la suite de cette présentation après la lecture de **C'est le moment de partir**. Avez-vous lu le poème ? Non ! Allez-y immédiatement ! Bon, maintenant est-ce fait ? Oui ! Très bien, vous pouvez continuer.

Je revenais donc d'Amérique du Sud et vivais chez mes parents depuis un ou deux mois. Nous étions en plein débat référendaire au pays. Pour une deuxième fois, après celui de 1980, le Québec demandait à la population son avis à savoir si elle voulait l'indépendance, la séparation du Canada.

Ce débat sature depuis longtemps la presse écrite et télévisée. Les gens en ont tous marre d'en entendre parler. La question doit se régler une fois pour toutes. J'en viens à conclure que la séparation est nécessaire pour y arriver, sinon la question refera encore surface un jour ou l'autre.

J'aurais été généralement enclin à m'opposer à la séparation du Québec. Les frontières sont souvent prétextes de guerres alors pourquoi s'en fabriquer davantage ?

Puis j'ai comparé le Québec à l'adolescent, à mon adolescence. Le jeune a besoin de devenir souverain, indépendant, pour forger lui-même sa vie. J'ai vécu cette période très tendue avec mes parents jusqu'à ce que je quitte la maison familiale. Autant notre relation était à couteaux tirés alors, autant elle est devenue dégagée après mon départ.

J'ai appris la vie et l'ai modelée à mon image. Ils ont repris la leur, façonnée à leurs couleurs. Le fait de prendre ma voie et de devenir souverain en ma demeure font de moi un être complet, même si en devenir comme tous les autres. Je suis maintenant capable d'établir des liens qui me sont propres avec autrui. Cela inclut bien sûr les parents qui d'adversaires deviennent partenaires.

Il en est de même pour un groupe d'individus, une ethnie, une nation, un pays. Acquérir son indépendance, vivre par ses propres moyens, libre de ses choix, c'est quitter l'adolescence. Cela permet de grandir de jour en jour en relation avec les autres, avec qui nous sommes nécessairement interdépendants.

José Manuel

Ce poème est offert à tous ceux qui sont à une fin d'étape, à une croisée de chemins, à tous ceux qui se sentent mûrs pour un changement. Il peut s'agir de quitter une résidence, une relation ou un emploi, devenus insatisfaisants. Mais ce peut être aussi quitter une façon de penser, une habitude, une attitude, devenues désuètes.

Puissiez-vous trouver l'énergie d'aller de l'avant pour grandir, vous épanouir et vivre vraiment. L'être en devenir tend à s'accomplir, se réaliser. Au delà des peurs, il y a la Vie.

Pauline

C'est le moment de partir

Je n'ai que 128 ans
Je suis adolescient
Je vis la crise dure
Toujours elle perdure

Je suis encore chez mes parents
J'ai mes aspirations, évidemment
Elles ne sont pas les leurs
Cela leur fait très peur

Je ne me sens pas chez moi
Mes parents ont leurs chansons
Ils ne sont pas mauvais en soi
Mais ne sommes au diapason

Ce climat de vives discussions
D'intenses débats avec les passions
De luttes serrées avec les parents
S'avère des plus déroutant

Ils vivent à leur façon
Je les sais bienveillants
Nous sommes différents
Pourquoi cultiver ces tensions ?

Nous perdons ainsi nos énergies
À discuter dans le vide
À nourrir des chicanes stupides
On se détruit petit à petit

Il n'y a plus rien à faire
Le moment est maintenant venu
De prendre les décisions voulues
Et ne point revenir en arrière

C'est la crise des ados
Voulant gérer leur vie
Prêts à quitter l'abri
Mais craignant le nouveau

C'est le temps de faire sa vie
L'heure de s'affirmer
J'ai besoin de décider
Je dois partir d'ici

Mieux vaut se quitter à l'instant
Prendre mon indépendance
Faire mes expériences
Ils feront leur vie autrement

J'ai déjà pensé m'enfuir
Mais je n'étais pas prêt
Je suis mûr à souhait
Je mets le cap sur l'avenir

Même si je parais hésitant
Je n'en suis pas moins décidé
L'inconnu s'avère angoissant
Je saurai le surmonter

C'est le moment de partir
De faire ma vie et grandir
D'utiliser mes énergies
À être créatif dans la vie

Chacun reprendra son équilibre
Profitera de la nouvelle situation
Pour s'épanouir, se sentir libre
Et rétablir une nouvelle relation

Ce ne sera pas facile, je sais
J'ai beaucoup à apprendre
Des erreurs, j'en ferai
Je saurai m'en déprendre

Voilà l'aboutissement fatal
De tout être grandissant
Vivre son autonomie à temps
Quoi de plus normal

Ma souveraineté acquise
Je pourrai créer des liens
Établir des relations de mise
Sans renier les miens

S'effritera alors le conflit
Au fil des ans, des pardons
On se reconnaitra amis
Au fait, ai-je dit mon nom ?

Je m'appelle Québec, dit-on
Le Canada est mon père
Ma mère, la reine d'Angleterre
Je ne leur veux aucune misère
Mais dois bâtir ma maison

La victime

Je l'ai rencontrée une fois dans un groupe, il y a de cela plusieurs années. Nous avons peu échangé. Je la connais surtout par sa grande sœur avec laquelle je suis ami.

Cette dernière m'a longuement parlé de sa petite sœur dans la vingtaine qui a démissionné face à la vie : *Tous les maux de la terre semblent la poursuivre. Ma sœur prétend avoir été violée plusieurs fois* m'explique l'aînée. *Malgré ses études universitaires elle reste sans le sou et sans emploi. Elle ne veut rien faire, se considère détruite, impotente* continue-t-elle.

Ses parents, inquiets, lui apportent à manger et fournissent argent et services à sa demande. Ils demeurent sous son emprise et alimentent ainsi son personnage de victime de la vie, du ciel et de la terre.

À chaque rencontre avec parents et amis la cadette s'apitoie invariablement sur son sort et clame qu'on lui doit soutien. Les gens de son entourage la trouvent de plus en plus pénible à fréquenter et s'en éloignent. Elle se considère alors encore plus victime et s'imagine l'objet d'une manigance à grande échelle contre son épanouissement personnel. J'écris **La victime** et la lui envoie incognito par courrier.

José Manuel

Abattu, épuisé, chacun à sa façon tente de résister aux évènements, loin de se douter qu'au fond du puits existe la sortie.

Il y a la victime qui lutte et combat sans relâche : *Je tiendrai le coup, ils ne m'auront pas !* se dit-elle.

Il y a la victime qui réclame sa dette : *Ils me payeront cher tout cela !*

Mais toutes deux, dans leur âme esseulée, maintiennent une image qu'elles sont lasses de soutenir. Chacune d'elles pourrait dire : *Je n'en peux plus !*

Alors là, tout bascule. L'image qu'elles soutenaient d'elles-mêmes s'écroule, elles abandonnent. En prenant conscience de ce qui l'anime, chacune peut faire de nouveaux choix, prendre des décisions justes.

Il faut du courage pour se regarder en face et admettre que l'on détient tous les pouvoirs sur notre vie. En nous réside le pouvoir de manifester. Consciemment ou non, notre pensée façonne notre réalité. Nous avons modelé le monde tel qu'il est. Il nous appartient de le transformer dès maintenant en commençant par nous-même.

À vous qui subissez la vie d'une quelconque façon, puissiez-vous trouver dans *La victime* l'inspiration pour ranimer votre soleil intérieur et devenir maître de votre vie.

Pauline

QUATUOR :

La victime

1 – Je suis victime de la vie

Je suis la pauvre victime
Des cinglantes intempéries
De cette implacable vie
Qui sans relâche me ruinent

L'univers tout entier
S'acharne contre moi
M'anéantit sans pitié
Me traque à chaque pas

C'est la conspiration
De toute l'humanité
Contre ma propre évolution
Je suis continuellement persécutée

Je n'en peux plus
Je vais craquer
On ne me veut plus
On va me tuer
Arrêtez, c'est assez !

2 – Je vous condamne

Vous êtes tous responsables
De ma vie misérable
Je trépasse dans l'angoisse
Sous vos coups qui me cassent

Vous êtes les meurtriers
De mon âme esseulée
Pour ce crime humanitaire
Vous allez payer très cher

À cause de vous
Je ne suis plus rien
Vous avez détruit tout
Je ne puis plus rien

Vous aurez donc à me nourrir
À m'entretenir, me faire vivre
À me faire sourire
Quand j'ai le goût de vomir

Apportez-moi la joie
Quand dans mes songes je me noie
Apportez-moi le bonheur
Quand je m'enfonce dans la torpeur

Faites tous mes caprices
Soyez à mon service
Même si je vous envoie promener
Vous me le devez
Car je vous y ai condamnés

3 – Victime d'elle-même

Chère amie, chère sœur
Je comprends tous tes malheurs
Je vois toute ta souffrance
Dépasser le seuil de tolérance

Tu as abdiqué
Devant la vie
Tu restes là, assise
Telle une incomprise

Et là, tu attends
Qu'on te sorte du puits
Ne pensant pas un instant
Qu'en toi est la sortie

Nul ne peut t'aider
Si ce n'est toi-même
Nul n'a la responsabilité
De la vie que tu mènes

Il n'y a pas de coupable
Il n'y a personne à pointer
Ni les agresseurs, ni la société
Les choses sont ainsi
À chacun d'en tirer parti

4 – *Tout peut changer*

Chacun a la vie
Qu'il se construit
Les avatars que nous vivons
Sont tous de notre création

Il ne sert à rien
De se décharger
De la responsabilité
De ce qui nous survient

Cette fuite sans fin
Nous isole dans l'illusion
Que nous ne pouvons rien
Pour retrouver notre maison

Rentrer chez Soi
C'est redécouvrir qui l'on est
Redonner à l'âme sa Joie
De partout rayonner

Bien sûr, il y a beaucoup à faire
La maison est tout à l'envers
Elle a besoin d'un grand ménage
La libérant de sa vieille image

Dès que tu commenceras
Ton âme te remerciera
Elle t'enverra sa luminosité
Au travers de tes journées

Plus tu regarderas en toi
D'un regard qui comprend
Qui aime, sans jugement
Plus tu vivras la joie

Je te le dis
N'attends plus
Ce temps est révolu
La vie commence ici

Regarde, elle est là
Cette Lumière
Qui au fond de toi Éclaire
Vas-y… suis-la !

Qui d'autre pourrait venir
Le faire à ta place
Toi seule peux découvrir
Le chemin de la délivrance
Qui vers la Lumière s'élance

La Réponse

La Réponse fut écrite pour répondre à ceux qui demandent *Que feriez-vous à ma place ?* ou encore *Quel est le sens de tout cela ? C'est invivable !* À tous ceux qui souffrent, je dis qu'en l'Amour réside la réponse, quelle que soit la difficulté. La vie semble un fardeau quand tout ce qui nous arrive parait dénué de sens. En découvrant que chaque situation présente des opportunités d'évolution, de transformation, nous nous délestons déjà d'un gros poids. La vie est une école où, à travers le quotidien, nous apprenons à devenir plus conscient, à ouvrir notre Cœur à tout, à tous et à toutes.

Pauline

Ce texte propose un remède à l'innombrable quantité de maux qui atteignent tant de personnes quotidiennement. Ne vous laissez pas glisser sur l'apparente simplicité de *La Réponse* en pensant *Oui, c'est beau, mais...*

Tentez plutôt de vous imprégner de son sens profond et de découvrir ainsi la réelle Puissance de l'Amour car elle *est* la Voie que le Christ a ouverte voilà déjà deux mille ans.

Puisse *La Réponse* faire poindre en vous qu'il existe une solution pour tout, une réponse à tout et pour tous.

José Manuel

La Réponse

Quelle que soit
La question posée
Quel que soit
Le problème à surmonter
Quelle que soit
La souffrance intérieure
L'ultime réponse
En l'Amour
Toujours demeure

Quoi que tu expérimentes
Apaise-toi et sache
La réponse
En toi se cache

Une faim intenable
L'Amour te nourrit
Une soif insatiable
L'Amour t'abreuve
Un froid pénétrant
L'Amour te réchauffe
Une chaleur suffocante
L'Amour te rafraîchit
Une maladie incurable
L'Amour te guérit
Un handicap rebutant
L'Amour t'embellit

Des tensions extrêmes
L'Amour te calme
Un épuisement généralisé
L'Amour te fortifie
Un passé oppressant
L'Amour te libère

Ta blessure lancinante
L'Amour panse
Ton cœur meurtri
L'Amour cicatrise
Ta souffrance atroce
L'Amour prend

Tes manques incessants
L'Amour annihile
Tes désirs intarissables
L'Amour dissipe
Tes attentes innombrables
L'Amour souffle

Ta colère véhémente
L'Amour écoute
Tes regrets amers
L'Amour transforme
Ton ressentiment ravageur
L'Amour désamorce

Une faute préjudiciable
L'Amour te pardonne
Un défaut inacceptable
L'Amour te reçoit
Une culpabilité prenante
L'Amour te disculpe

Une peine inépuisable
L'Amour te console
Un deuil accablant
L'Amour te soutient
Des pertes successives
L'Amour te stabilise
Une solitude pénible
L'Amour t'accompagne

Une nouveauté menaçante
L'Amour te rassure
Un avenir inquiétant
L'Amour t'encourage
Une confusion intense
L'Amour te guide
L'incompréhension totale
L'Amour t'éclaire
Une honte insidieuse
L'Amour t'accueille
Des rejets répétitifs
L'Amour t'invite

Une pauvreté désolante
L'Amour dispense
Un mépris humiliant
L'Amour relativise
Une injustice flagrante
L'Amour l'élucide

Un conflit insoluble
L'Amour résout
Un obstacle infranchissable
L'Amour élimine
Un combat interminable
L'Amour dénoue
Une préoccupation constante
L'Amour écarte
Un doute persistant
L'Amour dissout

Tes pensées tumultueuses
L'Amour apaise
Tes illusions aveuglantes
L'Amour perce
Tes questions obsédantes
L'Amour y répond

Tu vis une peur paralysante
Laisse l'Amour t'assister
Tu vis une panique affolante
Laisse l'Amour t'enlacer
Tu vis un désarroi profond
Laisse l'Amour t'envelopper
Tu ressens un vide effrayant
Laisse l'Amour t'habiter
Tu vis dans l'obscurité complète
Laisse l'Amour t'illuminer

Tu crains tout ?
L'Amour t'apprivoise
Tu fuis tout ?
L'Amour te suit
Tu perds tout ?
L'Amour te gagne
Tu lâches tout ?
L'Amour t'emporte
Tu t'abandonnes
L'Amour jaillit

Tu vis un sentiment d'impuissance
Remets-toi en l'Amour
Tu vis une dépression ?
Abandonne-toi à l'Amour
Tu agonises ?
Dissous-toi en l'Amour
Tu meurs ?
Ressuscite en l'Amour

La voie du verbe

Que de choses taisons-nous, étouffons-nous, au plus profond de notre être. Quelque part en notre tréfonds, cependant, nous savons que ces facettes de nous-même, soigneusement cachées, sont bel et bien existantes. De peur d'exprimer nos vérités nous les laissons enfouies nous disant – consciemment ou non – qu'un jour viendra où on les relâchera. Mais ce jour de Libération reste toujours prévu pour demain, après-demain, le mois prochain ou l'année suivante. On continue de séquestrer la Vie en soi de peur de mourir... Quel paradoxe !

La seule Libération qui vaille commence aujourd'hui, maintenant. Accueillez la Vie en vous et laissez-la se révéler dans toute sa Grandeur et sa Beauté. L'Amour constitue le seul guide digne de ce nom sur le parcours de la Vie. Laissez-le vous envahir et il vous conduira là où il se doit. Voilà ce que dit *La voie du verbe*.

Après avoir expérimenté cette ouverture, j'ai dévoilé et manifesté ce qu'était vraiment ma Nature. J'ai cessé d'opprimer ma vérité et repris contact avec ce qui m'anime au plus profond de mon être. J'ai commencé à donner des séances d'imposition des mains.

José Manuel

La voie du verbe nous interpelle quant à notre transparence, notre cohérence. Oser être qui l'on est réellement, oser dire avec Cœur en dépit de tout, exigent courage et détermination. Bien que tout semble prétexte à les enserrer, l'expression de ces vérités met au jour la nature profonde de l'être.

L'Amour ainsi révélé constitue un baume indispensable à l'heure actuelle. En laissant émerger notre Essence, c'est toute l'humanité qui s'ennoblit.

Pour ma part, l'accueil des émotions des gens et l'écriture sont pour l'instant des manifestations de mon être. La forme

peut varier mais en tout temps une vérité profonde demeure :
Aimer.

Puissent ces mots réveiller l'Être divin à l'ombre de vos
peurs. Puissiez-vous, dans cette Source, puiser le cran d'exprimer spontanément cet Amour qui ne demande qu'à jaillir de
votre Cœur.

Pauline

La voie du verbe

N'ayez peur
De clamer
Votre vérité
Celle du Cœur

Qui vous êtes vraiment
Derrière l'image forgée
Par les millénaires incrustants
Des préjugés de l'humanité

Quelle est votre nature intime
Si ce n'est l'Essence divine ?
Cessez de La cacher
Elle Doit être dévoilée

Elle doit être dite
Sans nuance
Sans ambivalence
Quoi qu'elle suscite

Vouloir la dissimuler, la nier
C'est se violenter, s'étouffer
C'est se mentir, se trahir
C'est se laisser mourir

Cet intense flux du Cœur
Doit continuer d'alimenter
Ceux qui n'ont pas peur
De leur propre vérité

L'entendra
Qui écoutera
L'intégrera
Qui comprendra

Certains seront confus
D'autres profondément choqués
Ou bien complètement outrés
Et afficheront leur refus

Ni l'incompréhension
Ni la dérision
Ni la crainte d'être jugé
Ne devront vous arrêter

Oui, vous serez critiqué
Oui, vous serez pointé
Ce ne sera pas votre problème
Mais celui de ceux qui blasphèment

Qu'à cela ne tienne !
Peut-on priver des hommes
De l'eau pure d'une fontaine
Quand d'autres ne la jugent pas bonne ?

Cet élixir d'Amour
N'a de frontières
Que nos propres barrières
Celles qu'on érige dans notre cœur

Son rayonnement illuminé
Doit inonder, se propager
Sous tous les horizons
Dans toutes les directions

Le Verbe est la charnière
Entre l'Esprit et la Matière
Voie de manifestation
Fondement même de la Création

Alors pourquoi ne pas dire
Ce qui pourrait nourrir ?
Alors pourquoi faut-il taire
Et laisser mourir
L'Essence même de votre Lumière ?

Totem de Lumière

Depuis quelques jours, je tente de joindre un ami par téléphone. Il ne me rappelle pas. La nuit, je rêve à lui. Il m'emmène dans son univers, un monde de cristaux géants aux couleurs phosphorescentes. À mon réveil, j'ai une Certitude. Dès ce matin j'irai frapper à sa porte.

Il est surpris de me voir arriver. Énervé, il décide que nous allions marcher ensemble. Il m'apprend que durant la nuit il avait attenté à sa vie, fait une tentative de suicide. Je passe une partie de la journée avec lui où il me conte les méandres de sa vie.

De retour chez moi, une statuette de pierre noire m'inspire. Elle a été taillée au village de Machu Picchu, au Pérou, où je l'ai achetée. Elle représente une tête de puma surmontée d'un serpent enroulé sur lui-même sur lequel repose un condor. Je lui écris *Totem de Lumière* que je m'empresse de lui poster avec la statuette.

José Manuel

Le Condor représente l'Esprit, le Puma, l'Action dans la matière inspirée par l'Esprit. Quant au Serpent, il évoque l'étape où, en délaissant notre vieille peau, nous nous détachons du passé, de nos vieux schèmes de référence, de nos coups d'œil limités.

Nous ouvrir à une vie nouvelle exige l'abandon de tout ce qui est périmé. La Nature nous le démontre moult fois mais l'humain est réfractaire à laisser aller.

Si vous hésitez à changer par peur de l'inconnu, Puissiez-vous découvrir, à travers *Totem de Lumière*, l'élan pour franchir les limites dictées par la peur et continuer d'aller de l'avant : *Hymne à la vie à ceux qui osent*[1].

Pauline

---

1   Extrait de **Noces sacrées** dans *Appels d'une vie*.

TRIO :

Totem de Lumière

1 – Le Condor

Je suis le Condor
L'oiseau des Hautes Sphères
De l'Altiplano et encore
Je Plane dans la Stratosphère

Les courants aériens
Des cinq mille mètres d'altitude
Me guident sur les Méridiens
De la Plénitude

Je vois de Là-haut
La vraie Nature des choses
Leur Essence grandiose
La Grâce, la Vérité, le Beau

Cette perspicacité m'est possible
Car je Plane dans l'Invisible
Bien au dessus du tourment
Dans la Paix et l'Amour, Maintenant

J'incarne la Conscience pure
La Lucidité divine
Je suis à ta disposition
Bienvenu toujours tu seras
Pour découvrir l'Univers en toi

2 – Le Serpent

Je suis le Serpent
Tout en Souplesse
Je Passe et Laisse
Vers un Renouvellement

Je ne crains rien
Ni obstacle ni mort
Sur mon chemin
Ou ses abords

Je quitte ma cuirasse
Lorsqu'il le faut
Une nouvelle peau
La remplace

À travers cette mue
Je laisse mes défauts
Mes illusions ne sont plus
Je repars à zéro

Tout en douceur
La vie reprend
Je n'ai plus peur
Je suis confiant

Le passé n'est plus
Mon moi d'hier a disparu
J'arrive dans un monde nouveau
Un regard neuf, frais et dispos

Si le Condor t'a éclairé
Que la Vérité s'est montrée
Si tu désires une vie nouvelle
Choisir une autre paire d'ailes

Mais que tu doutes encore
Soumis à ton rationnel
Encore beaucoup trop fort
Viens Mourir avec moi
Je t'aiderai à Renaitre

3 – Le Puma

Je suis le Puma
Attentif et Agile
Pas à pas
J'observe les périls

Je suis l'Action
Précise comme de raison
J'accomplis ma Tâche
Avec Justesse, sans relâche

Le Condor, mon Guide ailé
Me communique ses Visions
Exemptes de toute impureté
Et j'Agis avec Compassion

Je ne puis me tromper
Si j'écoute le Divin
Mes Gestes sont Éclairés
C'est l'Harmonie, rien de moins

À l'occasion, arrive une recrue
Elles sont toujours attendues
C'est le Serpent qui me l'a envoyée
Un nouveau Puma est né

Du changement survenu
Ces âmes ne seront jamais déçues
L'Immensité s'ouvre à elles
Dans la Vie éternelle
Un jour tu me rejoindras

PARTIE III

Appels à l'Unité

Ta voie suit Sa Voix

Dans la vacuité
Des pôles fusionnés
__Il Se__ révèle
Tu te rappelles

Ni bien ni mal

Il eut une époque où je défendais avec conviction un point de vue sur un évènement, un jugement sur quelqu'un ou quelque chose. Je démontrais ma position avec tous les arguments nécessaires pour plus tard me rendre compte que cette même opinion ne me paraissait plus fondée ni défendable. *Ni bien ni mal* découle de cette prise de conscience quant aux variations de ma perception, de ma compréhension.

Malgré un certain embarras, il m'était possible d'argumenter en faveur de mon nouveau point de vue avec presque autant d'ardeur que précédemment. Un brin de sincérité avec moi-même ne me permettait cependant pas de rester indifférent à la situation.

Si mon actuelle compréhension, me disais-je, me semble si sûre et intouchable que la précédente, et que cette dernière se soit subitement écroulée, qu'en sera-t-il de celle affirmée aujourd'hui ? Je savais que tôt ou tard cette ferme position tomberait elle aussi.

J'en vins à admettre que quoi que je soutienne pour en démontrer la supériorité, pour le bien des autres, quoi que je considère bon ou mauvais, juste ou indu, équitable ou inique, vrai ou faux, n'avaient qu'une valeur relative, c'est-à-dire très mince. Ma perception actuelle représente seulement ma réalité tangible *du moment*.

Par analogie puis par expérience, je compris que les réalités de chacun sont toutes différentes et tributaires de sa perception. Aucune de ces réalités n'est supérieure ou inférieure, plus juste ou moins juste, plus vraie ou moins vraie que chacune des autres. Elles sont toutes distinctes mais *effectives et indubitablement réelles* pour chacun.

Il n'y a donc plus place à l'appréciation *correct-incorrect* ou *bien-mal* autre que celle se référant à soi, c'est-à-dire celle qui exprime *Ceci me convient* ou *Cela ne me convient pas*.

Puisse **Ni bien ni mal** faire poindre en vous la reconnaissance que les perceptions de chacun *sont* sa réalité incontesta-
ble au même titre que les vôtres *sont* votre réalité. Les figures
bien-mal apparaissent alors purement arbitraires.

José Manuel

Le jugement étant lié à un contexte social donné, il est par
nature arbitraire. Un acte choquant pour l'occidental, tel l'éruc-
tation à table, est souvent considéré bienséant par l'oriental.
En temps de guerre tuer est permis, voire valorisé, même dans
nos sociétés.

Il n'y a donc plus de concept universel du Bien et du Mal
mais plutôt une notion de bien-mal relative à une situation
définie. Qu'est-ce qui est le plus important, le geste ou l'esprit
qui l'anime ? On peut tuer par amour et donner par dépit. Si le
geste prime, il est alors classifié bon ou mauvais, sans considé-
ration quant aux circonstances.

Dans le langage populaire on dit souvent *C'est l'intention
qui compte*. Pouvons-nous juger des intentions des gens ? Quel
que soit son geste, l'auteur pense bien faire puisqu'il agit toujours avec ses connaissances et sa conscience du moment.

Pourquoi jugeons-nous les gens, les évènements ? Il y a
jugement quand une situation réveille en nous une douleur
issue d'une expérience passée. Elle engendre une émotion si
vive qu'il nous faut la camoufler. Le jugement sert alors de
mécanisme de protection contre notre propre douleur. Nous
l'enfouissons au fond de nous où elle s'accumule et augmente
en intensité.

Cette souffrance intérieure amène des gens à poser des
gestes jugés répréhensibles. D'autres ne font aucun coup d'éclat
mais s'en prennent à eux-mêmes et, par exemple, sombrent
dans la maladie. Au lieu de se diriger vers autrui, l'expression
de leur souffrance se tourne contre eux.

La prise de conscience de l'existence de ces mécanismes de protection offre une opportunité de travail sur soi, d'ouverture, de transformation et de guérison. Quoi qu'il arrive, ce n'est ni bien ni mal, CELA EST. Tout a sa raison d'être même si nous ne comprenons pas. Puisse la lecture de **Ni bien ni mal** permettre à votre cœur de s'ouvrir, d'abord à vous-même puis à tout et à tous, sans jugement.

Pauline

Ni bien ni mal

Il y a bonté
Et malice
Il y a générosité
Et avarice

Qui es-tu
Toi qui proclames
Ceci infâme
Cela vertu ?

Il y a sagesse
Et ignorance
Il y a tendresse
Et violence

Quelle autorité
As-tu sur les gens
De discriminer
Paroles, mouvements ?

Il y a vérité
Et mensonge
Il y a clarté
Et songe

Es-tu l'éminence
La toute-connaissance
Dont la perception
Ne soit illusion ?

Il y a abondance
Et pauvreté
Il y a bienveillance
Et cruauté

Est-ce par fierté
Ou arrogance
Que tu oses imposer
Ton allégeance ?

Il y a sang-froid
Et effroi
Il y a raison
Et aberration

Es-tu si grand
Que de ta hauteur
Tu discernes aisément
Nuances et couleurs ?

Il y a allégresse
Et tristesse
Il y a prestance
Et insignifiance

Es-tu si achevé
Que le miracle
De ton oracle
Soit pure équité ?

Il y a loyauté
Et trahison
Il y a honnêteté
Et corruption

As-tu le droit
D'évaluer, juger
Blâmer ou mépriser
Qui que ce soit ?

Il y a douceur
Et aigreur
Il y a conviction
Et hésitation

Comment accuser
Quand ta pensée
Reste incohérente
Biaisée, inconsistante ?

Il y a bonheur
Et malheur
Il y a joie
Et désarroi

Mais il n'y a
Ni bien ni mal
Hors du mental
Ils ne sont pas

Issues du jugement
Forgées par la raison
Ces abstractions
N'ont de fondements

Fort répandus
Les attributs
De ces figures
Encore perdurent

Ils durcissent
Pourtant nos cœurs
Nourrissent
Guerres et douleurs

Hérésie sociale
Chaos mondial
Sachons accueillir
Aimer, bénir

Il n'y a erreur
Concept sans valeur
Juste expérience
Source de Connaissance

Toute expérience
Est apprentissage
Guide dans le passage
Vers la Luminescence

Telle est l'avenue
Rendue nécessaire
À nos consciences
Pour harmoniser
Leurs polarités

La dualiste condition humaine

La vente d'un canot fut le prétexte d'une rencontre avec un homme. Bientôt il commença à conter des épisodes de sa vie. Son implication dans le milieu du crime organisé le maintenait sur un qui-vive continuel. Il parla de son attrait pour les défis mettant sa vie en péril et de son avidité pour l'argent. Les femmes considérées comme des objets jetables devaient lui obéir et répondre à ses besoins sous peine d'être malmenées ou chassées. Il lui valait mieux asservir les autres que se soumettre. Un jour, il connut la peur et prit conscience de sa fragilité. Il amorça alors une réflexion sur son existence.

Cette rencontre inspira le premier acte de *La dualiste condition humaine*. Peu après, nous écrivions sa contrepartie, *Le dominé*. Quelques mois plus tard, nous composions *La Troisième Voie*, qui unit les opposants en un, et enfin *L'un est l'autre*. Ce dernier dépeint les similitudes entre les rôles adverses ainsi que le processus de transformation des attitudes. Puisse ce texte vous amener à déposer un regard compatissant sur tous les êtres.

Pauline

Le mode de relation le plus répandu chez l'humain est celui de dominant-dominé. Parmi les façons plus ou moins subtiles de régner, la plus évidente s'exprime par la force. En revanche le dominé exerce insidieusement son contrôle par diverses stratégies de manipulation d'ordre affectif. Il a mainmise sur le dominant en jouant sur ses besoins émotionnels. Il incarne alors le rôle de victime et, par exemple, culpabilise son adversaire.

Chacun tire des avantages certains de la position qu'il occupe. L'un comme l'autre dépendent de leur soi-disant opposant pour leur propre survie. C'est pourquoi ce mode de relation perdure. Toutefois, les protagonistes récoltent un mal-être envahissant, diffus et généralisé dont ils ne savent que faire. Cette relation de codépendance apparait comme un incontournable paradoxe de la condition humaine. Elle n'est pourtant point dénuée de sens. La quête de pouvoir, par la force ou la fourberie, étalée quotidiennement sous nos yeux ou cachée dans l'intimité de la vie familiale reflète l'ampleur du combat livré en nous, entre nos polarités non harmonisées. Il faut donc se pencher en soi pour toucher à l'origine de toute attitude de soumission ou de domination.

En choisissant d'incarner l'un des deux rôles, on se dirige inévitablement vers une confrontation sans issue. Le conflit se résout à l'interne en saisissant le sens du bénéfice tiré par notre soi-disant fâcheuse situation puis en transformant notre attitude face à celle-ci.

La dualiste condition humaine dresse un éloquent portrait-robot de la relation dominant-dominé. Puisse ce texte vous éclairer sur la façon dont se tissent vos relations et vous guider sur la Troisième Voie, celle de la Compassion, où la rivalité n'est plus.

José Manuel

QUATUOR :

La dualiste condition humaine

1 – Le dominant

Le dominant fonce
À rien ne renonce
Les défis
Le vivifient

Il abuse du pouvoir
Écrase son voisin
N'a qu'à vouloir
Et devient souverain

Il passe dessus
Celui qui obstrue
Son succès, sa gloire
Précaire est sa victoire

Son trône installé
Il va régner
Tenu dans l'illusion
Des avoirs, des passions

Il ne tolère
La contrariété
Pique des colères
S'il n'est respecté

Aux insoumis
Il s'associe
Pour les jouer
Les escroquer

Les ennemis
De son empire
Il poursuit
Fait pâtir

Il méprise
L'impuissance
L'organise
À sa convenance

Il tient à sa merci
Le soumis en perdition
Garantit sa survie
Contre compensation

Il hait ces maudits
Pauvres d'esprit
Inaptes au combat
Figés par l'effroi

Mais il a besoin
De ces abrutis
Un fort lien
Les unit

2 – Le dominé

Le dominé suit
Renonce à la vie
Les imprévus
Le tuent

Il subit le pouvoir
Se laisse écraser
Caché dans le noir
Il rend sa liberté

Saturé des rudesses
Las de ses faiblesses
Il mise sur les forts
Précaire est son sort

Son joug installé
Il va s'oublier
Tenu dans l'illusion
Du sacrifice, du don

Il ne tolère
Aucune colère
Pleure et gémit
S'il est assailli

Aux assujettis
Il s'associe
Pour les jouer
Les dénoncer

Les ennemis
De sa sécurité
Il s'ingénie
À manipuler

Il idéalise
La toute-puissance
La courtise
Souhaitant assistance

Il tient à sa merci
Le tyran en perdition
Affection il fournit
Contre rétribution

Il hait ces maudits
Pauvres d'esprit
Dont le combat
Fait unique loi

Mais il a besoin
De ces abrutis
Un fort lien
Les unit

3 – *La Troisième Voie*

Le compatissant Est
Il est juste présent
Entier à ce qu'il fait
Ouvert et avenant

Il perçoit le jeu
Des opposants
Reste aimant
Avec les deux

Il saisit le sens
Des évènements
Sans jugement
Ni sentence

Le cycle des abus
Encore se perpétue
Dominants d'un côté
Dominés à l'opposé

Ces rôles ennemis
Joués en vis-à-vis
Suivent une succession
Sans interruption

Il laisse chacun
Vivre son expérience
Apprendre des embruns
De la délivrance

Il reconnait en eux
Une partie de lui
Autrefois meurtrie
Et fait le Vœu :

Que le dominant
Arrête un instant
Sente à l'intérieur
Sa plaie au cœur

Qu'il voie la douleur
Qu'il sème alentour
Reflet de son cœur
Assoiffé d'amour

Qu'il saisisse le jeu
Du tyran, du gueux
Agrée leurs souffrances
Avec clémence

Il n'est blâmable
Des maux d'autrui
Juste responsable
De ce qu'il vit

Que le dominé
Daigne écouter
Sente à l'intérieur
Sa plaie au cœur

Qu'il voie la douleur
Qu'il s'attire d'alentour
Reflet de son cœur
Assoiffé d'amour

Qu'il saisisse le jeu
Du tyran, du gueux
Agrée leurs souffrances
Avec clémence

Il n'est défendable
Des coups d'autrui
Juste responsable
De ce qu'il vit

Qu'ils soient Aimants
Avec ce qu'ils sont
Tel qu'ils sont
Maintenant

Qu'ils assument
Leurs actes
Nul n'oppriment
Ni ne détractent

Qu'ils Comprennent
Leur expérience
Qu'ils l'Aiment
Sans résistance

4 – L'un est l'autre

Les deux
Portent en eux
La duplicité
Les opposés

Ils jouent
Tantôt un rôle
Puis l'autre pôle
N'en voient le bout

Chacun a peur
En son intérieur
De vivre, respirer
De s'abandonner

Il cherche à plaire
En souvenance
D'avoir souffert
De l'indifférence

Veut se défaire
À tout prix
De la misère
Sise en lui

Quoi qu'il fasse
Un jour il croule
Au sol se fracasse
Son fort s'écroule

Exténué
Le voilà confronté
À ses faiblesses
Son âme en détresse

Il crie à l'aide
Demande en pleurs
Qu'en sa faveur
On plaide

Personne n'entend
Sa douleur
Chacun se défend
D'ouïr l'écho du Cœur

Quête d'Amour
N'a fruits dehors
S'amorce à l'interne
Ou reste vaine

Un jour
Il comprend
Qu'il est artisan
De son parcours

Humilié
Courroucé
Il se pénalise
De sa méprise

La reconnaissance
◦ De ses limites
L'incite
À la transcendance

Dans l'abandon
Face à lui-même
L'Amour germe
Conduit au Pardon

Soifs de liberté
De pouvoir, de sécurité
Perdent leur emprise
Se volatilisent

Les vieilles attitudes
De codépendance
Tombent en désuétude
La vie recommence

Sans obligation
Ni interdit
La relation
Se simplifie

Libres de s'exprimer
Prêts à se livrer
Les deux se lient
Dans l'harmonie

Il suffit d'oser
Courir la chance
De faire confiance
Tout peut changer

Dans l'action
La transformation
De l'être en évolution
La Foi est moteur
L'Amour conducteur

Le geôlier

Le geôlier illustre l'incessant bavardage du mental et les conséquences qu'il entraîne sur notre vie. Si nous lui donnons prise, il sabote notre énergie d'action et freine notre spontanéité. Mais il peut en être autrement.

Face à une souffrance intense qu'elle ne peut supporter, une personne choisit de se couper de son émotion et ferme son cœur. Désormais, elle cède les commandes au mental qui prendra le rôle de gardien-protecteur. Ce dernier lui apparaitra bientôt tel un tyran.

Ce geôlier aura pour fonction de la protéger contre tout élément extérieur pouvant aviver la douleur de sa plaie maintenant occultée. Il mettra en branle un système de défense dès qu'il imaginera une menace. Il la surprotégera méticuleusement jusqu'à l'étouffer, à éteindre la vie en elle, car avec sa douleur se cache une partie d'elle-même. Que faire alors ?

La voix du geôlier retentira tant que l'être blessé n'aura pas contacté sa souffrance. Lorsque sa plaie sera ressentie, accueillie et guérie, le geôlier-protecteur s'évanouira de lui-même.

La prise de conscience de cette lutte en nous réduit les conflits avec l'extérieur et incite à nous pacifier intérieurement. Le rétablissement de l'harmonie en soi contribue considérablement à l'avènement de la paix sur terre. Avec une attitude sereine en tout temps et en tout lieu, nous n'alimentons plus les querelles et participons même à leur résolution par notre simple présence.

Le geôlier souhaite attirer votre attention sur le flux de pensées qui agite constamment l'esprit et fait douter de vous-même. Puisse-t-il vous offrir une voie d'exploration, de transformation et d'unification.

TRIO :

Le geôlier

1 – Le tyran

Je suis le geôlier
De ta prison dorée
Très discret
Tu ne me vois jamais

Je suis le pompier
Qui éteint la Vie
Sans pitié
Je te pétrifie

Mes armes insidieuses
Ne se voient point
Pernicieuses
Elles te réduisent à rien

Tu as le goût de rire
De vivre, de danser
Le goût de grandir
Dans la simplicité

Je ne permets pas
Ces élans de vie
Tu entends ma voix
Et déjà te raidis

Respirer profondément ?
Ça ne se fait pas !
Je n'autorise pas
Ce supplément !

Bondir de joie ?
Ça ne se fait pas !
Tu seras critiqué
Pour ton air débridé !

Jouir du beau temps ?
Ça ne se fait pas !
Le travail t'attend
Nul n'appréciera !

Admirer le paysage ?
Ça ne se fait pas !
Vois-le au passage
Ne t'arrête pas !

Explorer l'inconnu ?
Ça ne se fait pas !
Tu risques le trépas
C'est peine perdue !

Tenter la nouveauté ?
Ça ne se fait pas !
Inutile d'essayer
Rien ne marchera !

Exprimer ta vérité ?
Ça ne se fait pas !
On ridiculisera
Tes paroles insensées !

Sauter dans ses bras ?
Ça ne se fait pas !
Que va-t-on penser ?
C'est trop osé !

Suivre ton cœur ?
Ça ne se fait pas !
Il t'arrivera malheur
Le maître, c'est moi !

Je suis le mental
Gardien de ta prison
Mon joug t'est fatal
Ton cœur vaincu
N'a d'issue

2 – Le protecteur

L'être blessé
A, dans son esprit
Forgé la réalité
De qui l'avilit

Il se dit prisonnier
D'un geôlier
Qui n'a d'existence
Qu'en apparence

Par survie
Il a choisi
De fuir la douleur
Fermer son cœur

Son tyran
Devient bouclier
Pour protéger
Le mal cinglant

Ce protecteur
Garde dans l'oubli
Les maux enfouis
Parole d'honneur !

L'être blessé
Compartimenté
Scindé en lui
Jamais ne luit

Coupé du dehors
Rien ne l'atteint
Dans sa sécurité
Il s'éteint
Jusqu'à la mort

3 – L'instructeur

Isolé de la Vie
L'être croupit
Jusqu'au jour
Où pointe l'Amour

En son Cœur
Il perçoit une lueur
Prend conscience
De cette Présence

Il veut exhumer
Cette Flamme de Vie
Qu'il a ensevelie
Avec son mal réprimé

Fini de pâtir !
Avec douceur
Je vais m'ouvrir
À ma douleur

Il s'apaise
Fait confiance
Alors se taisent
Les résistances

Détendu
Sans effort
Il explore
L'inconnu

Un monde s'ouvre
Où il découvre
Que ses faiblesses
Sont sa richesse

Elles deviennent
Instructeurs
Détiennent
Son bonheur

Par son éclosion
Cesse l'illusion
Du geôlier
Du prisonnier

Habité
Par la Paix
L'Harmonie
L'Univers Infini
Il remercie

Je te demande Pardon

La relation homme-femme s'organise ordinairement sur un mode dualiste qui devient plus ou moins rapidement duelliste. L'amour qui unissait au début devient déchirant et meurtrissant à la longue car chacun porte en lui des attentes liées à ses manques.

La prise de conscience que nos gestes sont dictés par nos attentes, donc nos manques, met en évidence l'impossibilité d'une satisfaction complète et réelle en provenance de l'extérieur de soi. Les demandes répétées pour calmer nos besoins prennent vite forme de harcèlement car elles ne sont jamais comblées.

L'un et l'autre restent ensemble tant qu'ils nourrissent mutuellement leurs manques dans le respect du seuil de tolérance de chacun. En reconnaissant l'existence de cette base comme principe unificateur de la relation on comprend aisément que celle-ci génère immanquablement souffrance de part et d'autre.

La série suivante forme une progression précise dans le processus interne du Pardon. Nous vous suggérons de lire les trois textes *Je te demande Pardon, Je te Pardonne* et *Ultime Pardon* dans cet ordre mais pas nécessairement de façon consécutive. Plusieurs jours, voire plusieurs mois, le temps de résonner à l'étape suivante, peuvent s'écouler avant que vous ne soyez disposés à continuer la démarche.

Les textes se placent dans le contexte de la relation homme-femme, ce qui ne se limite pas à son aspect conjugal. Ils rejoignent donc obligatoirement chacun d'entre nous. La nature de cette relation vécue au quotidien dévoile directement comment s'articule le rapport entre nos principes internes masculin et féminin.

Cette série s'offre à tous ceux dont la relation avec l'autre, homme ou femme, n'est pas entièrement libre, dégagée et spontanée. Que le lien soit entre hommes ou entre femmes, peu importe, car chacun porte en lui les deux pôles.

Avant d'entreprendre la lecture de ces textes, choisissez à qui vous les adressez. Imaginez-vous en sa présence à moins que vous souhaitiez procéder en personne. Si vous vous adressez à une femme, lisez les parties gauche et centrale des textes ; à un homme, retenez seulement celles de droite et du centre. D'homme à homme ou de femme à femme, le processus reste le même. Vous n'aurez qu'à adapter certaines sections du texte à votre situation.

Lisez doucement une ligne à la fois. Prenez conscience de sa portée par rapport à votre vécu avec la personne, votre contrepartie. Prenez une pause, le temps de vibrer de tout votre être au message de cette ligne. Cela aura pour effet d'en extraire toute la puissance de guérison. Passez ensuite à la ligne suivante.

Dans un premier temps, *Je te demande Pardon* exprime la voix du Cœur de l'être qui admet avoir fait souffrir l'autre et s'en repentit. Il reconnaît les torts causés, les souffrances infligées à sa contrepartie. Il voit en elle la désolation par les attitudes qu'elle a acquises en réponse aux assauts dont elle fut l'objet. Il voit aussi comment, par les rôles qu'il a incarnés, il a su la maintenir dans le malheur.

Il reconnaît comment tous ses pairs ont contribué à ce triste scénario de la vie quotidienne et se sent concerné. Il s'adresse alors à sa contrepartie au nom de tous ceux-ci. Il dédie avec Cœur sa demande de Pardon à toutes celles à qui des torts auraient pu être infligés comme s'il en était lui-même l'auteur.

Il reconnaît finalement que son attitude destructrice envers sa contrepartie la brimait continuellement dans ses élans de vie et lui fauchait sa spontanéité. Il lui implore alors de rester elle-même, d'exprimer librement sa Nature.

Puisse *Je te demande Pardon* vous permettre d'amorcer ce grand processus de Guérison qu'est le Pardon.

Je te demande Pardon

Femme   **Homme**
Je te demande Pardon
Pour tout ce que j'ai fait
Et ce que je n'ai pas fait
Pour tout ce que j'ai dit
Et ce que je n'ai pas dit
Pour tout ce que j'ai pensé
Et ce que je n'ai pas pensé

Je te demande Pardon
Pour tout ce que je suis
Pour tout ce que j'ai été
Dans cette vie-ci
Et toutes les autres

Femme   **Homme**
Je te demande Pardon
Pour toutes ces blessures qui te déforment
Pour toutes ces douleurs qui te transpercent
Pour toutes ces souffrances qui te ruinent
Pour tous ces maux répétés depuis des âges

Je te demande Pardon
Pour toutes ces angoisses qui te hantent
Pour toutes ces peurs qui te paralysent
Pour toutes ces misères qui t'affligent
Pour toutes ces peines infligées depuis des âges

Femme   *Homme*
Je reconnais en toi
Ce lot d'afflictions accablant
Depuis des vies perpétué
Cet insoutenable poids
S'alourdissant pas à pas

Je reconnais en toi
Ces figures de désolation
En tes rôles   En tes rôles
De mère surprotectrice   De père dominateur
De femelle servile   De mâle abusif
De fille démunie   De fils profiteur
En ton existence de femme   En ton existence d'homme

En mon propre nom
Au nom de toutes mes figures incarnées
En mes rôles   En mes rôles
De père dominateur   De mère surprotectrice
De mâle abusif   De femelle servile
De fils profiteur   De fille démunie
Que je suis ou ai été
Je te demande Pardon

Au nom   *Au nom*
De tous les hommes   *De toutes les femmes*
Que je représente   *Que je représente*
Je demande Pardon
À tout ce que tu es
À tout ce que tu as été
Dans cette vie-ci
Et toutes les autres

À toutes les femmes
Que tu représentes
À la Terre-Mère
Que nous habitons
Je demande Pardon

Femme
Je te demande Pardon

Je demande Pardon
À la Femme en toi

Femme
Sois Femme

À tous les hommes
Que tu représentes
Au Père-Céleste
Qui nous habite
Je demande Pardon

Homme
Je te demande Pardon

Je demande Pardon
À l'Homme en toi

Homme
Sois Homme

Je t'aime

Je te Pardonne

Le deuxième texte de cette série sur le Pardon succède à *Je te demande Pardon*. Nous vous suggérons de lire la présentation générale sous ce premier titre si ce n'est déjà fait.

Je te Pardonne poursuit le processus du Pardon en exprimant la voix du Cœur de celui qui accueille les coups et les foudres de sa contrepartie venus le heurter, le blesser, le réduire. Il reconnait la similitude entre ses assauts répétés et ceux pour lesquels il a demandé pardon au cours de *Je te demande Pardon*. Il saisit à ce moment l'origine du lien qui l'unit à son vis-à-vis. Il reconnait que leurs douleurs intérieures, de l'un comme de l'autre, sont aussi de même nature. Il comprend qu'en elles réside la source de toute agression.

Il sait maintenant que les violences déchargées contre lui ne lui sont pas personnellement dirigées mais sont uniquement la soupape à une intense souffrance vécue par son assaillant. Il se trouve ainsi face à lui-même devant le miroir de son intériorité.

Cette reconnaissance lui fait découvrir des visages de lui-même dont il n'était point conscient. En accueillant l'autre il s'ouvre à lui-même. Il voit en l'expression des offensives de sa contrepartie dirigées contre lui les mêmes charges qu'il se dédiait inconsciemment.

Il conclut que celle-ci n'a aucune responsabilité sur les malheurs de sa vie. Elle a simplement dévoilé le manège dont il était sa propre victime. Il prend alors humblement les fautes qu'il incombait résolument à l'autre et la libère ainsi de ce poids.

Il remercie enfin sa contrepartie du sacrifice de sa vie dont il bénéficie par la découverte de sa vraie Nature. Il la bénit et transforme le mode de relation qui les unissait depuis si longtemps.

Puisse *Je te Pardonne* ouvrir votre Cœur à la souffrance des autres, sachant que si elle vous blesse, c'est qu'elle agit déjà en vous.

Je te Pardonne

Femme   **Homme**

Je te Pardonne
Pour tout ce que tu as fait
Et ce que tu n'as pas fait
Pour tout ce que tu as dit
Et ce que tu n'as pas dit
Pour tout ce que tu as pensé
Et ce que tu n'as pas pensé

Je te Pardonne
Pour tout ce que tu es
Pour tout ce que tu as été
Dans cette vie-ci
Et toutes les autres

Je te Pardonne
Pour toutes ces blessures qui me déforment
Pour toutes ces douleurs qui me transpercent
Pour toutes ces souffrances qui me ruinent
Pour tous ces maux répétés depuis des âges

Je te Pardonne
Pour toutes ces angoisses qui me hantent
Pour toutes ces peurs qui me paralysent
Pour toutes ces misères qui m'affligent
Pour toutes ces peines infligées depuis des âges

Femme   Homme

Je reconnais en toi
Le miroir de mon être
Depuis des vies perpétué
Cet insoutenable reflet
M'a toujours projeté
Le lot d'afflictions accablant
Qui nous lie de tout temps

Je reconnais en toi
L'expression de ta souffrance
Par les jugements que tu portes
Par le mépris que tu soulèves
Par les manèges que tu fomentes
Par l'oppression que tu maintiens
Par l'acharnement que tu soutiens
Par tous les maux que tu m'adresses

Femme   Homme

Je reconnais à travers toi
Ma partie inavouée
Ma partie dénigrée
Ma partie bafouée
Ma partie interdite
Que je ne peux plus feindre d'ignorer
Sous l'effet de ton insistance

À travers l'expression de ta souffrance
Je reconnais l'expression
De ma propre souffrance
De mon propre jugement
De mon propre mépris
De mes propres manipulations
De ma propre oppression
De mon propre acharnement
De tous les maux que je m'adresse

Femme   **Homme**
Je te reconnais
Pour avoir incarné mon image
Me l'avoir servie sans ambages
Et soutenue sans relâche
M'imposant ma réalité

Femme   **Homme**
Tu n'as nulle responsabilité
Sur mon triste sort
Sur ma cruelle condition
Sur la désolation qui me poursuit
Je suis l'unique cause de mon malheur

Femme   **Homme**
Je veux reprendre ce poids
Duquel je me suis toujours lavé
Que je n'ai même osé regarder
Dont j'ai su nier l'existence

Femme   *Homme*
Redonne-moi ce boulet meurtrissant
Lâche toutes ces souffrances
Depuis le début des temps accumulées
Je le prends
Avec Humilité
Avec Reconnaissance
Je le prends avec Amour

Femme   *Homme*
Laisse-moi prendre
Ce fardeau que tu portes
Depuis trop longtemps déjà
Cesse de pâtir
Reviens à la Vie
Retrouve la Paix
Le Bonheur
L'Harmonie

Femme   *Homme*
Merci de cette Offrande
De tout ce que tu es
De tout ce que tu as été
Jusqu'à ce que je vois
Accepte
Comprenne
Et m'abandonne

Je te remercie
De m'avoir montré qui je suis
D'avoir dévoilé ma vraie Nature
De m'avoir redonné vie
Je te bénis

Femme   ***Homme***
Par ta grâce
Je me transforme
Je te transforme
Nous grandissons

Femme   ***Homme***
Je te remercie   ***Je te remercie***

Merci d'être Femme   ***Merci d'être Homme***

Je t'aime

Ultime Pardon

Ce troisième texte clôt la série sur le Pardon après *Je te demande Pardon* et *Je te Pardonne*. Nous vous suggérons de lire la présentation générale sous le premier titre si ce n'est déjà fait.

La démarche entreprise à travers les deux premiers pardons adoucit les relations homme-femme puisque le sens des tensions et des rivalités est profondément relativisé. Vous saisissez maintenant que les offensives dirigées vers autrui manifestent le conflit faisant rage en soi. L'objet de cette guerre est projeté à l'extérieur sur un élément qui nous rappelle inconsciemment une attitude interne propre à soi et rejetée d'office.

Ultime Pardon exprime la voix du Cœur de celui qui reconnait l'aberration et l'illusion de la duelliste relation homme-femme. Il sait que la source du conflit sied en lui. Il dénonce la grande quête d'amour, la recherche inlassable d'une moitié avec qui fusionner, comme étant sans issue. Elle lui apparait tel un symbole de l'unité en soi, rien de plus.

Il entreprend alors une démarche de réconciliation avec cette partie de lui jusqu'à maintenant niée. Il se pardonne pour l'avoir invariablement brimée. Il accueille en lui tous les visages inacceptables du principe qu'il incarne et les fait siens. Il reprend le mal qu'il a semé de tout temps en tout lieu et le transforme. Il s'unit alors à son principe dominant.

Il s'ouvre finalement à l'autre, sa contrepartie. Il accueille en lui tous les visages méprisables de son principe inavoué et les fait siens. Il s'unit alors à son principe secondaire.

Il établit avec tous et toutes une relation libre de dépendances et accompagne sur la voie du Grand Pardon ceux qui ont besoin. La Compassion l'habite car les souffrances du monde sont en lui ; il sait Aimer car il les accueille pour ce qu'elles sont : des expériences sur la voie de l'Unité.

Puisse *Ultime Pardon* engendrer en vous un processus de Grand Pardon universel et entamer une guérison intégrale.

Ultime Pardon

Femme   *Homme*
Pourquoi encore nous lier
Pour colmater nos souffrances
Nos deux solitudes
Pour combler notre vide intérieur
Dans cette relation
Alimentée par le manque ?

Il est temps de nous affranchir
De l'utopie de l'union
Par ces liens douloureux
Avec lesquels nous étouffons
En quête d'une fusion
Dans le parfait bonheur

Femme   *Homme*
Tu ne sauras jamais
Combler mon gouffre sans fond
Comme je ne saurai jamais
Combler ton vide béant

Ta moitié ne fera
Jamais un avec la mienne
Ne cherchons pas à l'extérieur
Ce qui déjà est en nous

Je comprends maintenant
Que la moitié tant recherchée
Gît au fond de moi
Meurtrie mais patiente
Elle attend que je m'éveille
À sa présence
Que je l'accueille
En mon sein

Je reconnais cette partie de moi
Pour l'avoir jugée
Pour l'avoir méprisée
Pour l'avoir trompée
Pour l'avoir opprimée
Pour l'avoir niée

Je la reconnais
Pour l'avoir dénigrée
Pour l'avoir bafouée
Pour l'avoir écrasée

Je me Pardonne
Pour tout ce que je me suis fait
Et ce que je ne me suis pas fait
Pour tout ce que je me suis dit
Et ce que je ne me suis pas dit
Pour tout ce que j'ai pensé de moi
Et ce que je n'ai pas pensé de moi

Je me Pardonne
Pour tout ce que je suis
Pour tout ce que j'ai été
Dans cette vie-ci
Et toutes les autres

J'accueille en moi
Toutes ces figures que j'ai jouées
Toutes ces figures que j'ai jugées

En mes rôles	En mes rôles
De père dominateur	De mère surprotectrice
De mâle abusif	De femelle servile
De fils profiteur	De fille démunie

Elles sont maintenant toutes bienvenues
Elles sont moi sans exception aucune

Je prends ce poids
Cette masse de douleurs
Que j'ai servie de tout temps
À tous et à toutes

Je reprends ce qui m'appartient
Le transforme
Dorénavant
Je sèmerai l'Amour

Je m'unis à toi

Homme en moi	**Femme en moi**
Sois le bienvenu	Sois la bienvenue
Vivons l'Harmonie	Vivons l'Harmonie
L'Équilibre spontané	L'Équilibre spontané

J'accueille maintenant en moi
Toutes ces figures que j'ai méprisées
Que j'ai jouées sans me l'avouer

En mes rôles	En mes rôles
De père surprotecteur	De mère dominatrice
De mâle servile	De femelle abusive
De fils démuni	De fille profiteuse

Elles sont maintenant toutes bienvenues
Elles sont moi sans exception aucune

Je m'unis maintenant à toi

Femme en moi	*Homme en moi*
Sois la bienvenue	Sois le bienvenu
Vivons l'Harmonie	Vivons l'Harmonie
L'Équilibre spontané	L'Équilibre spontané

Je deviens Entier
Il n'y a plus de solitude
Plus de vide
Plus de manques
Juste entièreté

Je suis Un
Maître en ma Demeure
Souverain unifié

Femme blessée, homme blessé
Femme unifiée, homme unifié
Je t'accueille en moi
Dans toute ta simplicité
Dans toute ta spontanéité
Comme tu es
Ni plus, ni moins
Sans condition

Je marche avec toi
Libre de toute dépendance
Sans attentes
Sans lutte de pouvoir
Dans l'accueil de ce que tu es
En transparence de ce que je suis

Qui que tu sois
Tu es déjà en moi

Tous et toutes
J'Aime

Labyrinthe de l'Unité
récit poétique dont vous êtes le protagoniste

Ce poème est inspiré, dans sa forme, de la collection des *Livres dont vous êtes le héros.* Il compte 43 séquences et vous seul construisez le poème qui convient à votre réalité. *Labyrinthe de l'Unité* illustre la Grande Quête de l'humain sur le thème de la vie amoureuse. Que vous soyez actuellement seul, avec ou sans expériences antérieures de relation de couple, et présentement en recherche, que vous soyez en relation depuis peu ou depuis longtemps ou encore que vous soyez célibataire depuis toujours avec la ferme intention de le demeurer, vous trouverez dans *Labyrinthe de l'Unité* des éléments de réflexion sur la dynamique de couple et le sens profond de la vie dite amoureuse. Quelle que soit votre orientation sexuelle, vous vous découvrirez sûrement un peu plus à travers ce dédale.

Chemin faisant, vous observerez une facette du scénario de votre vie amoureuse passée ou présente, découvrirez les situations répétitives d'une relation à l'autre et comprendrez ce qui bloque dans vos relations actuelles.

Par cet exercice d'apparence ludique, nous vous souhaitons d'apprendre à utiliser ces exquises expériences dont on se plaint si souvent et celles traumatisantes qu'on s'empresse d'oublier, pour transformer, guérir et grandir.

Puisse *Labyrinthe de l'Unité* vous faire voir que la relation dite amoureuse offre de riches opportunités de rencontre avec soi et que cette quête extérieure mène invariablement à la Grande Quête de l'Unité en soi.

Marche à suivre

Vous êtes en quête comme tous les humains. Lisez les 17 portraits (de A à Q) ci-après. Choisissez celui qui correspond le mieux à votre situation présente, ou passée si vous démarrez l'exercice à cette époque. L'un de ces portraits devrait vous ressembler. Afin de faciliter la lecture, nous avons utilisé le masculin pour *l'être en quête*, c'est-à-dire vous, et le féminin pour *la moitié recherchée*.

À la suite de chaque description, un numéro vous renvoie à une séquence du poème. Allez-y directement. Les séquences se suivent par ordre numérique à raison de une par page.

Lisez-la puis choisissez parmi les options proposées au bas de la page, celle qui vous convient le mieux. N'optez pas pour celle que vous souhaiteriez vivre mais plutôt pour celle qui ressemble le plus à ce que vous vivez actuellement ou viviez à l'époque. Une relation honnête et transparente avec vous-même vous en révélera davantage.

Rendez-vous au numéro indiqué et continuez ainsi jusqu'à la sortie, s'il y a lieu, ou là où vous êtes rendu maintenant dans votre cheminement. Si vous vous empêtrez dans une boucle, vous y trouverez sûrement matière à réflexion !

Bonne route !

Labyrinthe de l'Unité
récit poétique dont vous êtes le protagoniste

Les 17 portraits

Vous vivez une période de célibat après avoir vécu une rupture ou connu la mort de votre conjoint :

A – *La séparation fut douloureuse, vous vous en remettez péniblement. Si vous êtes amer de l'expérience ☞ 9, si vous vous sentez abandonné ☞ 16.*

B – *La relation vient de se terminer. Vous vous sentez enfin libéré de ce joug ☞ 40.*

C – *L'espoir de trouver la bonne personne continue de vous habiter. Vous cherchez encore activement ☞ 2.*

D – *Vous restez ouvert aux personnes qui se présenteront, sans chercher activement qui que ce soit. Si vous vous sentez bien ainsi ☞ 28, si vous vous sentez inconfortable ☞ 17.*

E – *L'expérience de relation de couple fut concluante : vous êtes maintenant méfiant ☞ 19.*

Vous êtes célibataire depuis toujours :

F – *Vous n'envisagez surtout pas d'entreprendre une relation de couple. Si vous vous sentez bien ainsi ☞ 12, si vous vous sentez inconfortable ☞ 41.*

G – *Vous êtes encore ouvert à l'éventualité d'entreprendre une relation de couple. Si vous vous sentez bien ainsi ☞ 28, si vous vous sentez inconfortable ☞ 17.*

H – *Vous continuez vos recherches intensives pour trouver enfin la personne qu'il vous faut ☞ 13.*

Vous vivez une relation de couple :

I – C'est la lune de miel, l'amour passion. La vie est extraordinaire ! ☞ 3.

J – Vous vous aimez passionnément mais vous engueulez farouchement ☞ 42.

K – Les années ont installé une certaine routine. Tout va relativement bien, sans plus ☞ 17.

L – Depuis un certain temps des tensions sont présentes entre vous mais ni l'un ni l'autre n'osent dire quoi que ce soit, de peur de provoquer une brèche irréparable, une rupture ☞ 26.

M – La tension entre vous est devenue si forte que les gestes ou les paroles sont empreints de colère pour des banalités du quotidien ☞ 20.

N – Vous approchez votre seuil de tolérance mais vous sentez dans l'incapacité de passer à l'action. Si vous êtes confronté à l'incompréhension de l'autre ☞ 6, si vous vous sentez dépérir ☞ 27.

O – Vous vivez une expérience de couple sachant que cette relation vous amène à cheminer en conscience ☞ 28.

Autres situations :

P – Vous vivez une relation intime avec quelqu'un mais ne vous impliquez pas entièrement ☞ 15.

Q – Vous êtes en période de réflexion quant à votre situation actuelle ☞ 32.

1 – Constat d'incomplétude

Je sens en moi
L'incomplétude
Quelle inquiétude !
Quel désarroi !

Je suis atrophié
D'une partie essentielle
Ne suis rien sans elle
Je dois la retrouver

Elle sera ma garantie
De survie
Sans sa venue
Point de salut

J'espère combler
Ce vide intérieur
Être incomplet
M'exclut du bonheur
Quel malheur !

➤ *Je cherche ma moitié manquante* ☞ *2*
➤ *Je ne me reconnais pas dans ce portrait* ☞ *12*
➤ *Je cherche, avec circonspection, la moitié qui saura me combler* ☞ *15*
➤ *Je me contente de la situation* ☞ *17*
➤ *Une période de réflexion s'impose* ☞ *32*
➤ *Si vous avez lu cette séquence plus de trois fois* ☞ *36*

2 – Où es-tu, douce moitié ?

Je cherche m'en allant
Cette moitié qui m'ira
Avec moi s'unira
Par enchantement

Je dois te trouver
Pour me compléter
Présente-toi vite
Mon cœur crépite

Le moment est venu
Je ne puis attendre
Rater ce but
Me réduirait en cendres

Je sombre dans l'agonie
Suis sans ressource
Douce moitié
Viens à ma rescousse
Où es-tu ?

> *Je trouve ma moitié manquante* ☞ *3*
> *Je ne trouve pas la moitié parfaite* ☞ *13*
> *Si vous avez lu cette séquence plus de trois fois* ☞ *36*

3 – Je t'aime !

Je t'ai enfin trouvée
Chère et douce moitié
Tu me redonnes vie
Éloignes mes soucis

Tout est si beau
Dans cette union
Je préfère ce cadeau
À tous les millions

Complicité
Réciprocité
Tendresse
Caresses

Force de vie
Passions
Douces folies
Fusion
Je t'aime !

➤ *Je ne peux plus me passer d'elle* ☞ *4*
➤ *Elle vous quitte* ☞ *16*
➤ *Si vous avez lu cette séquence plus de trois fois* ☞ *36*
➤ *Tendresse et dispute nous unissent* ☞ *42*
➤ *J'ai peur d'avoir mal dans cette relation, je m'en vais* ☞ *43*

4 – *Tu es tout pour moi*

Tu me sécurises
Ma confiance grandit
Je deviens celui
Que rien ne brise

Nous découvrons
De nouveaux horizons
Tu es mon gouvernail
Sans toi je déraille

Nous réalisons
Nos aspirations
Tu es mon moteur
De mille chevaux-vapeur

Tu es pour moi
Force, courage, foi
Tu es ma vie
Mon bonheur
Point d'erreur !

➢ *Je m'oublie pour elle* ☞ *5*
➢ *Elle vous quitte* ☞ *16*
➢ *Je lui donne tout ce que je peux* ☞ *22*
➢ *Si vous avez lu cette séquence plus de trois fois* ☞ *36*
➢ *J'ai peur d'avoir mal dans cette relation, je m'en vais* ☞ *43*

5 – Je me sens étouffé

Je me suis oublié
Ne pense qu'à toi
Dans l'espoir inavoué
De t'avoir à moi

Je me suis éteint
N'ai plus d'entrain
J'ai démissionné
Tout laissé tomber

Je me suis effacé
Pour te garder
Sauver la relation
Par des concessions

Je me suis étouffé
Pour ne pas déranger
Ne m'exprime plus
C'est voulu
Soupir…

➤ *Elle profite de la situation* ☞ *7*
➤ *Elle vous quitte ; si vous vivez l'abandon* ☞ *16, si vous vivez*
    la libération ☞ *40*
➤ *Je me contente de la situation* ☞ *17*
➤ *Je n'ose pas me remettre en question* ☞ *20*
➤ *Si vous avez lu cette séquence plus de trois fois* ☞ *36*

6 – *Tu ne comprends rien !*

Puisses-tu deviner
Ma détresse voilée
Capter le signal
Avant l'instant fatal

Le drame de ma vie
Est insupportable
Je suis vulnérable
À ta merci

Je t'ai aimé
Tu m'as blessé
Je me sens trahi
Resterai demi

Je le vois bien
Tu ne comprends rien
Ne m'écoutes plus
Ne me respectes plus
C'est peine perdue !

➤ *Elle vous quitte ; si vous vivez l'abandon* ☞ *16, si vous vivez la libération* ☞ *40*
➤ *Je me contente de la situation* ☞ *17*
➤ *Je n'ose pas me remettre en question* ☞ *20*
➤ *J'encaisse en silence* ☞ *27*
➤ *Une période de réflexion s'impose* ☞ *32*
➤ *Je n'en peux plus, je la quitte* ☞ *34*
➤ *Si vous avez lu cette séquence plus de trois fois* ☞ *36*

7 – Tu m'exaspères !

Tu profites
De mes faiblesses
Tu m'irrites
Tu me blesses

Tu m'abuses
Sans excuses
Tu m'exploites
Scélérate !

Je te hais
Si tu savais
Je nous croyais unis
Quelle connerie !

Cruelle moitié
Tu es odieuse
Sans pitié
Tu m'exaspères
Je ne sais que faire…

➤ *Elle ne comprend pas mon drame* ☞ *6*
➤ *Je lui en veux de m'avoir trahi* ☞ *8*
➤ *Elle vous quitte ; si vous vivez l'abandon* ☞ *16, si vous vivez la libération* ☞ *40*
➤ *Je me contente de la situation* ☞ *17*
➤ *Je n'en peux plus, je la quitte* ☞ *34*
➤ *Le dialogue s'ouvre* ☞ *35*
➤ *Si vous avez lu cette séquence plus de trois fois* ☞ *36*

8 – *Tu vas me le payer* !

J'ai trop souffert
De tes abus
Suis en colère
Ne m'embête plus

Je te déteste
Infâme moitié
Je me vengerai
De façon funeste

Tu n'as satisfait
Mes besoins
Tu n'auras désormais
Plus de soins

Tu vas me servir
Sans contredire
Je sais te dominer
Je sais te manipuler
Tu vas me le payer !

➢ *Je la quitte avant qu'il ne soit trop tard* ☞ *9*
➢ *Elle vous quitte ; si vous vivez l'abandon* ☞ *16, si vous*
   vivez la libération ☞ *40*
➢ *J'aurai sa peau* ☞ *25*
➢ *C'est de sa faute si tout va mal* ☞ *30*
➢ *Si vous avez lu cette séquence plus de trois fois* ☞ *36*

9 – Je suis amer de cet échec

Amer de cet amour
Blessé en profondeur
Je crie, je pleure
Je deviens sourd

À quoi rime
L'union à deux ?
Elle opprime
Rend malheureux

Cette folle aventure
Ne me plaît guère
Vivre une rupture
Est suicidaire

J'avais cru
À la relation
Quelle désillusion
Amer, déçu
Je suis perdu !

➢ *Seul, je ne supporte pas la vie* ☞ *1*
➢ *Je tire partie de l'expérience pour en apprendre sur moi-même* ☞ *10*
➢ *Je me promets de ne plus me faire prendre dans le piège de la vie à deux* ☞ *19*
➢ *J'encaisse en silence* ☞ *27*
➢ *Le dialogue s'ouvre* ☞ *35*
➢ *Si vous avez lu cette séquence plus de trois fois* ☞ *36*

10 – Tu es mon miroir

En toi je reconnais
Mon reflet
Tu es mon miroir
Matin, midi et soir

Ce que de toi
J'admire
Est ce à quoi
J'aspire

Ce que de toi
Je décrie
S'adresse à moi
Je ne le nie

Cette vérité
M'abasourdit
Bouleverse ma vie
Je ne peux l'ignorer
Quel choc !

➤ *Je comprends que la vie est expérience* ☞ *18*
➤ *Je crains une vraie rencontre avec moi-même* ☞ *20*
➤ *Une période de réflexion s'impose* ☞ *32*
➤ *Si vous avez lu cette séquence plus de trois fois* ☞ *36*
➤ *Je Pardonne* ☞ *38*

11 – Je marche vers l'Unité

Je m'ouvre à moi
Entre en moi
Vois mon ombre
Mes coins sombres

Avouer l'inavouable
Révèle l'image
Jugée inacceptable
Dont je suis l'otage

Compassion, Humilité
Font cesser ce jeu
Moment précieux
Sur la voie de l'Unité

Enfin libéré
Sans rien à cacher
L'esprit apaisé
Je dis *Oui* à la Vie
Merci !

➤ *J'ai Foi en cette voie, je continue dans la Joie* ☞ *11*
➤ *Je vis l'Harmonie totale* ☞ *12*

12 – Je suis entier

Je suis entier
Les pôles fusionnés
Le Bonheur m'emplit
De sa Paix infinie

En moi le jugement
S'est évanoui
Je comprends
Je bénis

À nul geste je réagis
Nulle parole ne m'atteint
Je reste Serein
Devant la vie

Je vois en tout
Une partie de moi
Réconcilié
Harmonisé
Je m'unis au Tout

➤ *Il me manque encore un je ne sais quoi, je ne sais où* ☞ *1*
➤ *N'avez-vous pas un seul doute ?* ☞ *20*
➤ *Il n'en tient qu'à votre sincérité face à vous-même pour savoir quoi faire maintenant* ☞ *12*

13 – Je cherche encore...

Je cherche partout
L'être parfait
Pour combler ce trou
Gardé secret

Je ne vois nulle part
Qui saura me donner
Par son regard
L'amour tant convoité

Je cherche encore
Au sud, au nord
Il me faut trouver
Cette moitié !

J'ai espoir
D'apercevoir
Un beau jour
Le parfait amour
Je cherche toujours !

➤ *Seul, je ne supporte pas la vie* ☞ *1*
➤ *Rien de moins que la perfection me contentera* ☞ *2*
➤ *Une période de réflexion s'impose* ☞ *32*
➤ *Si vous avez lu cette séquence plus de trois fois* ☞ *36*

14 – Je ne me ferai plus avoir !

J'ai connu
J'ai compris
C'est fini
Je n'en veux plus

Ouvrir mon cœur
M'a rendu vulnérable
Causé des malheurs
Je suis pitoyable

Pourquoi engager
Une relation ?
Je serai blessé
Fini la flagellation !

Je refuse le giron
Aussi beau soit-il
Aucune idylle
N'aura ma raison
Voilà ma décision !

➤ *Quelque chose me manque* ☞ *1*
➤ *Une période de réflexion s'impose* ☞ *32*
➤ *Si vous avez lu cette séquence plus de trois fois* ☞ *36*

15 – J'ai peur de trop souffrir

Je suis méfiant
De cette entreprise
Je reste vigilant
Évite les surprises

J'ouvrirai mon cœur
Sous seule garantie
D'un parfait bonheur
Ou je m'enfuis

Je n'ose mettre en jeu
Confort et sécurité
Paix et liberté
Pour un rêve amoureux

Si et seulement si
J'ai la certitude
D'être comblé
Sans me faire blesser
J'aimerai un peu !

➤ *Je trouve la moitié qu'il me faut* ☞ *3*
➤ *Je ne trouve pas la moitié qu'il me faut* ☞ *13*
➤ *Je n'ose pas me remettre en question* ☞ *20*
➤ *Une période de réflexion s'impose* ☞ *32*
➤ *Si vous avez lu cette séquence plus de trois fois* ☞ *36*

16 – Je me sens abandonné

Tu m'as quitté
Laissé pantois
Je suis aux abois
Tu es sans pitié

Comment peux-tu
M'abandonner ?
Je ne l'aurais cru
Je t'ai tant aimée

Je ne comprends pas
Ton attitude
Suis dans l'embarras
Par ton ingratitude

Délaissé
Négligé
Je suis seul
Vulnérable
Minable…

> ➢ *Seul, je ne supporte pas la vie* ☞ *1*
> ➢ *Vous êtes amer de l'expérience* ☞ *9*
> ➢ *Je tire partie de l'expérience pour en apprendre sur moi-même* ☞ *10*
> ➢ *Je me promets de ne plus me faire prendre dans le piège de la vie à deux* ☞ *19*
> ➢ *Je marchande avec elle et propose des compromis pour qu'elle revienne* ☞ *33*
> ➢ *Je lui exprime ma détresse et elle s'ouvre* ☞ *35*
> ➢ *Si vous avez lu cette séquence plus de trois fois* ☞ *36*

17 – Un moindre mal

Cette vie
Ne m'emplit
Mais me protège
Des pièges

Son statut précaire
Ne peut me satisfaire
J'accepte le jeu
Faute de mieux

J'évite les questions
Les grandes vérités
La situation
Demeure figée

Le temps passe
Rien ne brasse
Je choisis
La vie stable
Sans tournant notable

➤ *Seul, je ne supporte pas la vie* ☞ *1*
➤ *Je me contente de la situation* ☞ *17*
➤ *Je n'ose pas me remettre en question* ☞ *20*
➤ *Si vous avez lu cette séquence plus de trois fois* ☞ *36*
➤ *J'attends* ☞ *37*

18 – J'expérimente en conscience

Une fois encore
La même expérience
Revient, fait éclore
La Conscience

Quand surgit le conflit
Je saisis la chance
De sortir de l'oubli
Les vieilles souffrances

J'accueille mes émotions
Épure mes réactions
Me dégage ainsi
Des scories enfouies

Je continue ma voie
Empreint de Joie
J'apprends, expérimente
Une dernière fois
En conscience

➤ *Je tire partie de l'expérience pour en apprendre sur moi-même* ☞ *11*
➤ *Je ne cherche plus de moitié, je laisse venir* ☞ *28*
➤ *Je Pardonne* ☞ *38*

19 – Je n'ai plus confiance !

J'ai fait confiance
Me suis abandonné
En sécurité
Sans défense

J'ai fait confiance
J'ai été trahi
C'est fini
J'use de prudence

Je me suis leurré
Me suis trompé
Dorénavant
Je serai vigilant

Ma confiance
Fut échaudée
Pourquoi répéter
Cette danse ?
Méfiance !

➤ *Seul, je ne supporte pas la vie* ☞ *1*
➤ *Je tire partie de l'expérience pour en apprendre sur*
  moi-même ☞ *10*
➤ *Il n'y aura pas de prochaine fois* ☞ *14*
➤ *Je cherche, avec circonspection, la moitié qui saura me*
  combler ☞ *15*
➤ *Si vous avez lu cette séquence plus de trois fois* ☞ *36*

20 – Je ne veux pas voir !

Je ne veux pas
Remettre en question
Mes paroles, mes actions
J'ai raison, voilà !

Je ne veux pas
De la transparence
Fais le choix
De l'ignorance

Je ne veux pas
De dilemme
En aucun cas
Voir en moi-même

Je ne veux pas
Sentir les blessures
Sises en moi
Je tiens le coup
J'endure !

➢ *Je me contente de la situation* ☞ *17*
➢ *Une période de réflexion s'impose* ☞ *32*
➢ *Nous prenons des mesures d'urgence pour continuer de cohabiter* ☞ *33*
➢ *Si vous avez lu cette séquence plus de trois fois* ☞ *36*

21 – Ne me quitte pas !

Tu m'as sauvé
Ressuscité
Sans toi
Je suis quoi ?

Un moribond
Un moins que rien
Un puits sans fond
Cela est certain

Que tu t'en ailles
M'abandonnes
Me désarçonne
Déjà j'en braille

Reste avec moi
Je t'en supplie
Tu n'as le droit
De voler ma vie
Ne me quitte pas !

➤ *Je m'oublie pour elle* ☞ *5*
➤ *Elle vous quitte* ☞ *16*
➤ *Nos deux moitiés font un* ☞ *26*
➤ *Le dialogue s'ouvre* ☞ *35*
➤ *Si vous avez lu cette séquence plus de trois fois* ☞ *36*

22 – Je te donnerai tout !

Je t'offrirai tout
Me donnerai à toi
Reste avec moi
Reste ! surtout…

Prends moi tout
Ma survie n'a de prix
Je t'en supplie
Accepte tout

Je ferai tout pour toi
Rien ne m'arrêtera
Seul, sans toi
Je crains le trépas

Tes idées, on réalisera
Tes désirs, j'assouvirai
Ta tristesse, j'épongerai
Tes faiblesses je compenserai
La vie, on partagera

➤ *Elle vous quitte* ☞ *16*
➤ *Vous tenez à elle à tout prix* ☞ *21*
➤ *Elle vous en demande trop* ☞ *23*
➤ *Nos deux moitiés font un* ☞ *26*
➤ *J'attends, en retour, quelque chose de sa part* ☞ *31*
➤ *Si vous avez lu cette séquence plus de trois fois* ☞ *36*

23 – Tu m'en demandes trop !

Je pensais te satisfaire
Te contenter
Toujours te garder
Je ne sais que faire

Comment dire *Non*
À tes demandes constantes
Tu as trop d'attentes
Je crains la répression

Je découvre maintenant
Tes désirs trop grands
Tes besoins nombreux
C'est plus que je ne peux

Je ne puis honorer
Mon engagement
À te combler
N'en demande plus
Je ne peux plus !

➤ *Je la quitte avant qu'il ne soit trop tard* ☞ *9*
➤ *Elle vous quitte ; si vous vivez l'abandon* ☞ *16, si vous vivez la libération* ☞ *40*
➤ *J'en ai assez, je réagis, je suis en colère* ☞ *24*
➤ *Je me sens coupable de ne pouvoir la satisfaire* ☞ *27*
➤ *Si vous avez lu cette séquence plus de trois fois* ☞ *36*

24 – La rage monte en moi !

Je m'en veux
De ne pouvoir partir
Je dois réagir
Faute de mieux

Avant de me tuer
De m'anéantir
Tu vas y goûter
En pâtir

Je n'ai pas dit
Mon dernier mot
J'ai payé déjà trop
De tous mes compromis

Je t'ai tout donné
Ajoutes-y ma vie gâchée
Je me ferai rembourser
Dommages et intérêts
Je te le jure !

➢ *Je la quitte avant qu'il ne soit trop tard* ☞ *9*
➢ *Elle vous quitte ; si vous vivez l'abandon* ☞ *16, si vous*
   vivez la libération ☞ *40*
➢ *Je la déteste* ☞ *25*
➢ *Une période de réflexion s'impose* ☞ *32*
➢ *Si vous avez lu cette séquence plus de trois fois* ☞ *36*

25 – *Ma vengeance sera terrible !*

J'exploiterai
Tes faiblesses
Me rembourserai
Avec adresse

Je t'asservirai
Aurai ta peau
Tu ne pourras me quitter
Tel est ton lot

Je te soutirerai
Tout ce que je peux
Pour me venger
Voilà l'enjeu

Je t'écraserai
Coûte que coûte
Avant de te rejeter
Telle une vieille croûte
Tu me dégoûtes !

➤ *Je la quitte avant qu'il ne soit trop tard* ☞ *9*
➤ *Elle vous quitte ; si vous vivez l'abandon* ☞ *16, si vous vivez la libération* ☞ *40*
➤ *Je n'ose pas me remettre en question* ☞ *20*
➤ *Si vous avez lu cette séquence plus de trois fois* ☞ *36*

26 – La codépendance

Tu assouvis mes désirs
Combles mes besoins
Je peux m'épanouir
Réjoui de tes soins

J'assouvis tes désirs
Comble tes besoins
Tu peux t'épanouir
Réjouie de mes soins

Tu tiens à moi
Je tiens à toi
Un échange constant
Nous lie solidement

Le couple maintient
Son équilibre
Je suis peu libre
Cela convient
Pourvu que ça dure !

➢ *Je m'oublie pour elle* ☞ *5*
➢ *Je me contente de la situation* ☞ *17*
➢ *J'encaisse en silence* ☞ *27*
➢ *Je ne veux pas qu'elle change* ☞ *29*
➢ *Si vous avez lu cette séquence plus de trois fois* ☞ *36*

27 – Je me détruis !

Je n'ai plus l'énergie
De lutter, de crier
Épuisé, vidé
Je suis à l'agonie

Je tomberai malade
Ce sera une façade
Ferai une dépression
Attirant ton attention

Il y a l'accident
Moins compromettant
En bout de ligne
Ma mort je signe

En dernier ressort
Reste le suicide
Mais là encore
C'est trop stupide
Ça demande un effort !

➤ *Elle vous quitte ; si vous vivez l'abandon* ☞ *16, si vous vivez la libération* ☞ *40*
➤ *Une période de réflexion s'impose* ☞ *32*
➤ *Le dialogue s'ouvre* ☞ *35*
➤ *Si vous avez lu cette séquence plus de trois fois* ☞ *36*
➤ *J'attends* ☞ *37*

28 – La rencontre

Je ne recherche pas
Ma chère moitié
Je sais d'emblée
Qu'en temps elle viendra

Nous nous rencontrons
Nous reconnaissons
Intérieurement
Simplement

Nous acceptons
L'expérience
En discernons
L'importance

Cette relation
Offrira l'occasion
De grandir
De découvrir
Qui je suis

➤ *Je tombe follement amoureux d'elle* ☞ *3*
➤ *Je comprends que la vie est expérience* ☞ *18*
➤ *Si vous avez lu cette séquence plus de trois fois* ☞ *36*

29 – Ne change surtout pas !

Puis un jour
Ma vision change
Tu n'es plus l'ange
Parfait toujours

Où es-tu ?
Je ne reconnais plus
Celle que j'aimais
Celle qui m'aimait

Émerge maintenant
Ton côté dérangeant
J'ose espérer
Que ce sera passager

Du piédestal
Tu es tombée
Avec mon idéal
Ma sécurité
Que faire ?

➤ *Elle vous déçoit* ☞ *7*
➤ *Quelle désillusion !* ☞ *9*
➤ *Je tire partie de l'expérience pour en apprendre plus sur moi-même* ☞ *10*
➤ *Vous êtes fâché* ☞ *24*
➤ *Si vous avez lu cette séquence plus de trois fois* ☞ *36*

30 – Tu as tout gâché !

Tout allait si bien
Avant
Pourquoi ce pétrin
Maintenant ?

J'ai essayé
De compenser encore
Pour tous tes torts
Je suis essoufflé

Tu ne fais rien
Pour garder le lien
Éviter la rupture
Essuyer les bavures

Par ta faute
Tu as tout gâché
Tu as tout détruit
Mon rêve anéanti
Je dépéris !

➤ *Je la quitte avant qu'il ne soit trop tard* ☞ 9
➤ *Elle vous quitte ; si vous vivez l'abandon* ☞ 16, *si vous vivez la libération* ☞ 40
➤ *J'encaisse en silence* ☞ 27
➤ *Le dialogue s'ouvre* ☞ 35
➤ *Si vous avez lu cette séquence plus de trois fois* ☞ 36

31 – Voici mes attentes :

J'ai besoin de toi
Pour exister
Je t'offre mon toit
On va s'aimer

Tu répondras
À mes attentes
Gare à toi
S'il y a mésentente

Tu combleras
Mes besoins vitaux
Satisferas
Mon ego

Je compte sur toi
Pour m'accompagner
Où que je sois
Vivons ensemble
Pour l'éternité

➤ *Elle profite de la situation* ☞ *7*
➤ *Elle vous quitte* ☞ *16*
➤ *Nos deux moitié font un* ☞ *26*
➤ *Si vous avez lu cette séquence plus de trois fois* ☞ *36*

32 – Je m'arrête, j'apprends, je comprends

Je suis dépassé
Forcé de m'arrêter
Je ne peux plus rien
Dans mon quotidien
J'abandonne

Je me suis évertué
Avec entêtement
À diriger, contrôler
Gens, évènements
J'abandonne

Pourquoi
Ces misères ?
L'existence ici-bas
N'est-elle que calvaire ?
Je m'abandonne

J'écoute
Prends un temps
Je m'arrête
J'apprends
Je comprends

➤ *Je tire partie de l'expérience pour en apprendre sur
   moi-même* ☞ 10
➤ *Je comprends que la vie est expérience* ☞ 18
➤ *Le dialogue s'ouvre* ☞ 35
➤ *Je Pardonne* ☞ 38

33 – Pacte de non-agression

Faisons des efforts
Pour tenir encore
Écarter la rupture
Sauver la progéniture

Signons un pacte
De non-agression
Réduisons les contacts
En toutes occasions

Territoire délimité
Emploi du temps varié
Chacun trouvera
Un espace adéquat

On évite le pire
À coups de compromis
Espérant maintenir
Une apparente vie
Oh misère !

➢ *Elle vous quitte ; si vous vivez l'abandon* ☞ *16, si vous vivez la libération* ☞ *40*
➢ *Je me contente de la situation* ☞ *17*
➢ *J'encaisse en silence* ☞ *27*
➢ *Je n'en peux plus, je la quitte* ☞ *34*
➢ *Si vous avez lu cette séquence plus de trois fois* ☞ *36*

34 – C'en est assez, je m'en vais !

Malgré les heurts
Le jugement, la peur
Dussé-je mourir
Je dois partir

Depuis le temps
Je ne peux plus taire
La vie au dedans
Je manque d'air

Une lueur de vie
Me donne l'élan
D'aller de l'avant
Par survie

J'ai atteint ma limite
Je m'en vais
Je te quitte
Plus rien ne fait
C'est décidé !

➢ *Seul, je me sens incomplet* ☞ *1*
➢ *Je suis amer de cet échec* ☞ *9*
➢ *Je ne me ferai plus avoir* ☞ *14*
➢ *Une période de réflexion s'impose* ☞ *32*
➢ *Si vous avez lu cette séquence plus de trois fois* ☞ *36*
➢ *Je me sens enfin libre* ☞ *40*

35 – La communication se rétablit

Mon cri du cœur
T'atteint
On se rejoint
Quel bonheur !

Notre ouverture
Libère les sentiments
On se comprend
Finie la coupure

Chacun vivait
Son drame secret
Sans laisser paraitre
Le même mal-être

Nous partageons
Nos vérités
Nous découvrons
Qu'au fond
Nous sommes pareils

➤ *Nous redevenons amoureux* ☞ *3*
➤ *Je tire partie de l'expérience pour en apprendre plus sur moi-même* ☞ *10*
➤ *Une période de réflexion s'impose* ☞ *32*
➤ *Si vous avez lu cette séquence plus de trois fois* ☞ *36*
➤ *Je Pardonne* ☞ *38*

36 – Un cycle sans fin...

Je recommence
Encore et encore
Je recommence
Jusqu'à la mort

Je répète
Les expériences
Qui reflètent
Mon inconscience

Le cycle se perpétue
Les évènements
S'accentuent
Inévitablement

Je tourne en rond
Depuis longtemps
Peut-être encore
Pour un temps
Jusqu'à quand ?

➤ *Je n'ose pas me remettre en question* ☞ *20*
➤ *Une période de réflexion s'impose* ☞ *32*
➤ *J'attends* ☞ *37*
➤ *Je prends ma vie en main* ☞ *39*

37 – Le temps arrangera les choses...

J'attends...
J'attends...
Toujours attendre
Sans me détendre

Du Ciel j'espère
Quelqu'intervention
Pour que s'opère
Une transformation

Le temps dit-on
Arrange les choses
Ainsi je n'ose
Aucune action

Tout est figé
Pétrifié
J'attends toujours
Peut-être qu'un jour...
On ne sait jamais !

➢ *Je me contente de la situation* ☞ *17*
➢ *Je n'ose pas me remettre en question* ☞ *20*
➢ *Si vous avez lu cette séquence plus de trois fois* ☞ *36*
➢ *J'attends encore* ☞ *37*

38 – La voie du Pardon

Ma douleur
Ouvre mon cœur
Je vois la détresse
La peur, la tristesse

D'un geste doux
Je les enlace
L'Amour dissout
Efface toutes traces

Peine et amertume
Se consument
Colère et peur
Fondent sur l'heure

Nous sommes humains
Avec nos limites
La Compassion
Invite au Pardon
À la Réconciliation

➢ *Vous vous sentez uni avec l'autre et serein devant sa souffrance* ☞ *11*
➢ *En vous, un mal-être demeure* ☞ *20*
➢ *Si vous avez lu cette séquence plus de trois fois* ☞ *36*
➢ *Vous préférez attendre plutôt que Pardonner* ☞ *37*

39 – Ça suffit de tourner en rond !

Encore je revis
La même histoire
Dois-je croire
Qu'elle me suit ?

Je vois en elle
Une malédiction
Qui coupe mes ailes
À répétition

Puis-je quitter
Ces vicissitudes ?
Puis-je changer
Mes vieilles attitudes ?

Une pause
S'impose
C'est le temps
Maintenant
Urgence !

➢ *J'ai trop peur, je remets à plus tard* ☞ 20
➢ *Je suis décidé, rien ne m'arrêtera* ☞ 32

40 – Enfin libre !

Soulagé
Le cœur léger
Je ressuscite
Vis sans limites

Délesté du poids
De la relation
Je passe à l'action
Dans la joie

Je respire
Librement
Peux m'épanouir
Pleinement

Sans cette moitié
La vie est belle
Maintenant
Je ne pense plus à elle
Je suis libre !

➤ *Il me manque un je ne sais quoi, je ne sais où* ☞ *1*
➤ *Je me promets de ne plus me faire prendre dans le piège
de la vie à deux* ☞ *14*
➤ *Je ne veux pas me remettre en question* ☞ *20*

41 – Je ne veux rien savoir !

Je suis célibataire
Vis en solitaire
N'ai nul besoin
De conjoint

Je suis autonome
Vis au maximum
Sans personne
Qui me chaperonne

Liberté
Indépendance
Sont l'assurance
D'une vie rêvée

Ne me parlez pas
De vie à deux
Voici un aveu
Je ne veux rien savoir
Voilà !

➢ *Il me manque un je ne sais quoi, je ne sais où* ☞ *1*
➢ *Je vis pleinement et harmonieusement ainsi* ☞ *12*

42 – *Tout feu, tout flamme !*

On s'aime
Tendrement
Passionnément
À l'extrême

On se querelle
Farouchement
Les étincelles
Font du boucan

La vie à deux
A du piquant
Nous sommes heureux
Bien vivants

Amour et haine
S'enchaînent
Nourrissent de leur feu
Le sentiment amoureux
Quelle flamme !

➢ *Je la quitte avant qu'il ne soit trop tard* ☞ *9*
➢ *Elle vous quitte ; si vous vivez l'abandon* ☞ *16, si vous
vivez la libération* ☞ *40*
➢ *Je me contente de la situation* ☞ *17*
➢ *Nos deux moitiés font un* ☞ *26*

43 – J'ai peur, je te quitte

Je t'aime tant
Et pourtant
Je te quitte
Prends la fuite

Je crains
De m'attacher
D'être aimé
D'être restreint

J'ai peur
De m'engager
De m'exposer
À la douleur

Partir
Me fait mal
Me déchire
C'est un moindre mal
C'est vital !

➤ *Seul, je me sens incomplet* ☞ *1*
➤ *Je ne me ferai plus avoir* ☞ *14*
➤ *Une période de réflexion s'impose* ☞ *32*
➤ *Le dialogue s'ouvre* ☞ *35*
➤ *Si vous avez lu cette séquence plus de trois fois* ☞ *36*
➤ *Je me sens enfin libre* ☞ *40*

Qui es-tu ?

Qui es-tu ? illustre de façon analogique comment l'Unité sous-tend la pluralité. Il révèle la nature du lien qui unit tout un chacun à tout, tous et toutes.

Les objets ou les entités considérés ordinairement distincts le sont seulement en apparence. Si nous les observons sous un angle différent, peut-être découvrirons-nous qu'à la base ils n'ont jamais été séparés, opposés ni divisés. Les îles isolées les unes des autres par la mer se rejoignent par le fond marin. Elles sont de multiples formes de la même terre. L'œil et la main semblent distincts. Le sujet qui regarde et l'objet regardé, apparemment distinct, appartiennent pourtant à une même entité : l'observateur. L'œil et la main sont donc deux manifestations d'un même tout qui les englobe.

Dans sa conscience individuelle l'humain se croit séparé des autres au même titre que la main semble séparée de l'œil. S'il élargit sa conscience, l'humain se découvrira lié à ses semblables par une racine commune.

Chaque humain, chaque être vivant, chaque chose, sont des manifestations d'un seul et même tout. Toute entité est à la fois formée d'un ensemble d'entités et fait partie d'un tout l'englobant. Il en est de même à l'infini pour tout, tous et toutes qui, ultimement, sont Un.

Plus la conscience de l'humain se déploie, plus elle s'universalise jusqu'à *devenir* le Grand Tout. La conscience identifiée à cet unique Grand Tout, l'innombrable diversité de tout ce qui le compose s'harmonise nécessairement dans la Paix.

Puisse **Qui es-tu ?** susciter en vous la recherche de votre nature première qui, une fois découverte, dévoilera le lien qui unit tout en Un.

Qui es-tu ?

Il s'appelait Index. Il se croyait le seul, l'unique, le meilleur. Ses quatre compagnons de main cohabitaient avec lui mais Index considérait son rôle supérieur à celui des autres. Lui seul indiquait les directions, identifiait précisément des objets ou des personnes. Entre autres, il se vantait avec emphase d'être choisi pour appuyer sur les boutons des machines. Index faisait souvent équipe avec Pouce pour saisir de menus objets ou les placer avec dextérité. Quant à ses trois autres compagnons, selon Index, ils ne réalisaient pas grand-chose par eux-mêmes. La présence d'Index et de Pouce leur était indispensable. Quant à Pouce tout seul, Index le considérait inutile. Que ferait-on d'une main pleine de pouces ? ! répétait-il souvent d'un air hautain.

Index se plaisait beaucoup à se comparer afin de mettre en évidence sa valeur… et, par le fait même, de dénigrer celle des autres. Selon lui, rien ne pouvait être aussi bien fait en son absence. En effet, Index donne une habileté certaine dans la manipulation de menus objets et une force notable dans la saisie de gros morceaux. Il offre une grande dextérité sur les claviers, une robustesse pour les tâches difficiles et une particulière souplesse pour les tendres caresses.

Un jour, Majeur qui observait Index depuis longtemps lui posa une question.

« Sais-tu, Index, *d'où* es-tu issu véritablement et *qui* es-tu vraiment ? »

Éberlué par cette soudaine interrogation Index bafouilla un instant avant de répondre.

« Bien sûr je le sais ! Quelle question ! Je suis l'index de la main droite de Jules Henri. Je suis né de ce corps comme sont nés aussi les neuf autres doigts, les dix orteils, les deux bras et leurs deux mains, les deux jambes et leurs deux pieds, le tronc et tous ses organes ainsi que la tête avec ses deux yeux, son nez, ses deux oreilles, sa bouche et son cerveau.

— Dis-moi encore, QUI ES-TU Index ? reprit Majeur.

— Je suis moi ! Je suis le doigt le plus utile de la main la plus habile et fais merveilleusement équipe avec Pouce. J'ai déjà visité tous les recoins du corps dont je suis issu... et connais très bien de nombreux autres corps. Cela m'a confirmé mon unicité et ma supériorité. J'ai connu aussi mon confrère index de la main gauche qui me seconde à l'occasion. Il me semble plutôt engourdi par rapport à moi. Il en va de même de tous les doigts que j'ai rencontrés.

— Mais dis-moi, D'OÙ ÉMERGES-TU exactement ? insista Majeur avec douceur mais fermement. »

Ébranlé par la question, Index s'arrêta un instant pour réfléchir. Touché en son Essence, il se pencha sur lui-même l'air pensif. Soudain il se releva et lança avec fierté :

« J'émerge de Main-droite à laquelle je suis fixé en un endroit stratégique, d'où mes qualités exceptionnelles.

— Si je comprends bien, tu ne vivrais donc pas sans l'existence de Main-droite ? »

Contrarié, Index acquiesça d'un hésitant marmonnement.

« Et Main-droite, quant à elle, serait incomplète sans toi ? poursuivit Majeur. »

Confronté à l'évidence, Index émit finalement un faible oui.

« Bon. En quelque sorte tu es un élément de Main-droite tout comme les trois autres doigts et moi-même. À la base nous sommes tous issus de cette même main, elle-même émergeant du bras.

— ... C'est vrai.

— Nous pourrions même affirmer que nous sommes tous les cinq réunis dans une même entité appelée Main-droite n'est-ce pas ? »

Index sentait ses références s'écrouler, s'effondrer. Il constatait, à son grand désespoir, que ses quatre confrères de main qu'il avait tant dénigrés, et lui-même, s'enracinaient dans le même substrat et que, de ce fait, ils étaient tous unis à la base. Ils étaient *un* par la nature identique de leur racine.

À l'instant, la conscience d'Index se fusionna à celle des autres doigts et son identité se transforma. Il devint Main-droite… et fier de l'être ! Main-droite se compara alors avantageusement à la deuxième main de Jules Henri dont elle méprisait la gaucherie bien qu'elle eut parfois recours à ses services pour manipuler des outils ou soulever de gros morceaux.

La conscience d'Index, devenue Main-droite, continua son existence comme auparavant, avec ses nouvelles références mais conservant ses anciennes attitudes. Index poursuivit ainsi la voie qu'il empruntait jadis sans s'interroger sur la mutation effectuée en lui.

Une chose avait cependant changé. Depuis la fusion, les doigts de Main-droite s'étaient harmonisés et travaillaient de concert sans aucune lutte de pouvoir ni opposition puisqu'ils étaient devenus *un*.

Un jour, beaucoup plus tard, Pied-gauche qui observait Main-droite depuis longtemps lui posa une question.

« Sais-tu, Main-droite, *d'où* es-tu issue véritablement et *qui* es-tu vraiment ? »

Éberluée par cette soudaine interrogation Main-droite bafouilla un instant avant de répondre. Cette interpellation lui rappela vaguement un souvenir diffus qui rapidement s'estompa puis disparut. Elle se ressaisit aussitôt et répliqua de son cru du moment.

« Bien sûr je le sais ! Quelle question ! Je suis la main droite de Jules Henri. Je suis née de ce corps comme sont nés aussi le bras gauche et sa main, les deux jambes et leurs deux pieds, le tronc et la tête.

— Dis-moi encore, QUI ES-TU Main-droite ? reprit Pied-gauche.

— Je suis moi ! Je suis la main la plus utile, la plus forte et la plus habile du membre le plus actif et le plus polyvalent du meilleur forgeron de la région. J'ai déjà visité tous les recoins du corps dont je suis issue… et connais très bien de nombreux autres corps. Cela m'a confirmé mon unicité et ma supériorité.

J'ai connu aussi ma consœur Main-gauche qui me seconde à l'occasion. Elle me semble plutôt engourdie par rapport à moi. Il en va de même de tous les membres que j'ai rencontrés.

— Mais dis-moi, D'OÙ ÉMERGES-TU exactement ? insista Pied-gauche avec douceur mais fermement. »

Ébranlée par la question, Main-droite s'arrêta un instant pour réfléchir. Touchée en son Essence, elle se pencha sur elle-même l'air pensif. Soudain elle se releva et lança avec fierté :

« J'émerge du corps de Jules Henri le forgeron auquel je suis fixée par l'intermédiaire du bras. Ma position idéale et mes articulations élaborées garantissent mes qualités exceptionnelles.

— Si je comprends bien, tu ne vivrais donc pas sans l'existence de Jules Henri ? »

Contrariée, Main-droite acquiesça d'un hésitant marmonnement.

« Et le corps de Jules Henri, quant à lui, serait incomplet sans toi ? poursuivit Pied-gauche. »

Confrontée à l'évidence, Main-droite émit finalement un faible oui.

« Bon. En quelque sorte tu es un élément du corps de Jules Henri tout comme Main-gauche, Pied-droit et moi-même. À la base nous sommes tous issus de ce même corps.

— … C'est vrai.

— Nous pourrions même affirmer que nous sommes tous les quatre réunis dans une même entité appelée Jules Henri n'est-ce pas ? »

Main-droite sentait ses références s'écrouler, s'effondrer. Elle constatait, à son grand désespoir, que ses trois confrères membres qu'elle avait tant dénigrés, et elle-même, s'enracinaient dans le même substrat et que, de ce fait, ils étaient tous unis à la base. Ils étaient *un* par la nature identique de leur racine.

À l'instant, la conscience de Main-droite se fusionna à celle des autres membres de Jules Henri et son identité se transforma. Elle devint Jules Henri... et fière de l'être ! Jules Henri se compara alors avantageusement à ses voisins dont il méprisait l'allure et la condition bien qu'il eut parfois recours à leurs services pour divers travaux.

La conscience de Main-droite, devenue Jules Henri, continua son existence comme auparavant, avec ses nouvelles références mais conservant ses anciennes attitudes. Main-droite poursuivit ainsi la voie qu'elle empruntait jadis dans la conscience d'Index sans s'interroger sur la mutation effectuée en elle.

Une chose avait cependant changé. Depuis la fusion, les membres de Jules Henri s'étaient harmonisés et travaillaient de concert sans aucune lutte de pouvoir ni opposition puisqu'ils étaient devenus *un*.

Un jour, beaucoup plus tard, un chat qui observait Jules Henri depuis longtemps lui posa une question.

« Sais-tu, Jules Henri, *d'où* es-tu issu véritablement et *qui* es-tu vraiment ? »

Éberlué par cette soudaine interrogation Jules Henri bafouilla un instant avant de répondre. Cette interpellation lui rappela vaguement un souvenir diffus qui rapidement s'estompa puis disparut. Il se ressaisit aussitôt et répliqua de son cru du moment.

« Bien sûr je le sais ! Quelle question ! Je suis Jules Henri, forgeron du village. Je suis né ici, sur cette terre, de la lignée de mes ancêtres comme sont nés aussi de leur lignée familiale les autres habitants.

— Dis-moi encore, QUI ES-TU Jules Henri ? reprit le chat.

— Je suis moi ! Je suis l'homme le plus utile, le plus habile et le plus fort de la famille la plus travaillante et la plus prospère de la plus dynamique communauté de la région. J'ai déjà visité tous les recoins de la région dont je suis issu... et connais très bien de nombreuses autres régions. Cela m'a confirmé mon unicité et ma supériorité. J'ai connu aussi mes confrères forgerons des alentours qui me secondent à l'occasion. Ils me

semblent plutôt engourdis par rapport à moi. Il en va de même
de tous les humains que j'ai rencontrés.

— Mais dis-moi, D'OÙ ÉMERGES-TU exactement ? insista
le chat avec douceur mais fermement. »

Ébranlé par la question, Jules Henri s'arrêta un instant
pour réfléchir. Touché en son Essence, il se pencha sur lui-
même l'air pensif. Soudain il se releva et lança avec fierté :

« J'émerge de la plus ancienne famille de grands forgerons de la région, d'où mon talent et mes aptitudes exceptionnelles. Mes fonctions d'artisan-inventeur et de réparateur me
rendent indispensable à la communauté. Sans moi, ni les agri-
culteurs ni les bûcherons ni les mineurs ne pourraient travailler car je suis le seul capable d'arranger convenablement
leur machinerie et de concevoir l'outil adapté à leurs besoins.

— Si je comprends bien, tu ne vivrais donc pas sans l'existence de cette communauté ? Sans l'agriculteur, Jules Henri, tu
n'aurais rien à manger. Sans le bûcheron tu n'aurais de quoi
construire ta maison ni la chauffer adéquatement. Et sans le
mineur tu n'aurais même de quoi forger ! »

Contrarié, Jules Henri acquiesça d'un hésitant marmonnement.

« Et cette communauté, quant à elle, serait incomplète
sans toi ? poursuivit le chat. Ces gens, tes semblables, te sont
tout aussi indispensables que tu l'es pour eux. »

Confronté à l'évidence, Jules Henri émit finalement un
faible oui.

« Bon. En quelque sorte tu es un élément de la communauté tout comme les autres habitants le sont. Vous êtes tous
interdépendants dans le fonctionnement et l'existence de cette
communauté.

Sais-tu, Jules Henri, qu'il existe des millions de communautés comme la tienne de par le monde, toutes formées
d'humains indispensables les uns aux autres. Entre ces communautés finement liées, a lieu un constant mouvement d'individus, de biens, de services, de connaissances, d'idées.

Toutes ces communautés ensemble forment la collectivité des humains. Elle serait incomplète sans chacune des
communautés qui la compose.

— ...

— La collectivité des humains n'est pourtant qu'une des
nombreuses collectivités de la terre, toutes aussi interreliées.
L'agriculteur ne serait pas sans les collectivités animales et
végétales des foins, des blés, des pommes de terre, des poules,
des cochons et des vaches pour ne nommer que celles-là. Le
bûcheron ne serait pas sans les collectivités végétales des pins,
des épinettes, des frênes et des érables entre autres. Le mineur,
quant à lui, ne serait pas sans les collectivités minérales des
fers, des cuivres, des argents et des ors par exemple.

Pour ma part, j'appartiens à celle des chats. Toutes ces
collectivités, Jules Henri, ne vois-tu pas qu'elles sont intime-
ment reliées entre elles, qu'elles forment un tout indisso-
ciable ? Ne vois-tu pas que la collectivité des humains est un
élément de la nature tout comme le sont les collectivités des
rats, des saumons, des araignées, des capucines, des quartz et
des chats comme moi-même ? À la base nous sommes tous
issus de cette même nature.

— ... C'est vrai...

— Nous pourrions même affirmer que nous sommes
tous unis dans une même entité appelée Terre n'est-ce pas ?

— ... Oui...

Et cette Terre, continua le chat, ne serait-elle pas liée à
l'Univers comme les doigts le sont à la main, les membres aux
individus, les individus à la famille, à la communauté puis à la
collectivité... comme les petits *uns* le sont au Grand Tout ? »

Jules Henri sentait ses références s'écrouler, s'effondrer. Il
constatait, à son grand désespoir, que ses confrères de vie qu'il
avait tant dénigrés, les animaux, les plantes, les pierres, les
objets, et lui-même, s'enracinaient dans le même substrat et
que, de ce fait, ils étaient tous unis à la base. Ils étaient *un* par la
nature identique de leur racine.

À l'instant, la conscience de Jules Henri se fusionna à celle des autres êtres vivants et à celle de tous les objets façonnés par la nature ou par l'humain. Son identité se transmuta. Il devint tout, tous et toutes sans distinction aucune.

Depuis ce temps, les éléments de la Nature se sont harmonisés et travaillent de concert sans aucune lutte de pouvoir ni opposition puisqu'ils sont devenus *un*. Sur Terre règne maintenant la Paix, tant dans sa globalité que dans la diversité de chacune des plus petites entités dont elle est formée.

Un jour, des millions d'années plus tard, une étoile qui observait la Terre depuis longtemps lui posa une question...

PARTIE IV

Appels à la Reconnaissance

Ta Voix est Sa Voix

Ta Gratitude
Emplit les cœurs
La Plénitude
S'éveille en douceur

Je te Salue

Il s'agit d'un hommage à la Nature, un acte de reconnaissance à sa constante et bienfaisante Présence. Je ne saurai en dire plus. Voici **Je te Salue.**

José Manuel

Tant de choses nous semblent naturelles qu'on ne les apprécie plus, on ne les voit même plus. **Je te Salue** est une façon de remercier la Nature pour ce qu'elle est, pour ce qu'elle nous offre.

Pauline

Je te Salue

Bonjour à vous tous
Qui nous entourez
Quelle Joie d'être parmi vous
Quelle bénédiction de vous voir ici

Ô belle Terre ferme
Je te Salue

Toi qui es liée au plan physique
À la matière, au corps, à la Force
Toi qui nous soutiens, nous abrites
Recueilles l'eau
Orientes l'air
Et reflètes la lumière
Je te Remercie

Puisses-tu recevoir dans tes entrailles
Les déchets de nos corps
Et les transformer
En Éléments divins
Qui nourriront chacun

Ô belle Eau fluide
Je te Salue

Toi qui es liée au plan astral
Aux émotions, au cœur, à l'Amour
Toi qui nous abreuves, nous laves
Façonnes la terre
Tempères l'air
Et diffuses la lumière
Je te Remercie

Puisses-tu décoller par tes flots
Nos émotions incrustées
Et les transformer
En Amour divin
Qui guérira chacun

Ô bel Air frais
Je te Salue

Toi qui es lié au plan mental
Aux pensées, à l'esprit, à la Conscience
Toi qu'on respire, qui nous éventes
Ensemences la terre
Oxygènes l'eau
Et tamises la lumière
Je te Remercie

Puisses-tu emporter d'un coup de vent
Les pensées qui nous troublent
Et les transformer
En Sagesse divine
Qui conduira chacun

Ô belle Lumière sacrée
Je te Salue

Toi qui es liée au plan divin
À l'énergie, à l'âme, à la Vie
Toi qui nous réchauffes, nous éclaires
Fertilises la terre
Distilles l'eau
Et souffles l'air
Je te Remercie

Puisses-tu sanctifier de tes rayons
Nos âmes esseulées
Et les transformer
En Soleils radieux
Qui béniront chacun

Ô belle Nature luxuriante
Je te Salue

Toi qui manifestes l'Harmonie
Entre toutes les particules
À travers toi nous expérimentons
Nous évoluons
Par ta Générosité sans limites
Ta constante Présence
Comble nos êtres
Je te Remercie

Puissent tes aliments de Vie
Issus des forces combinées
De la Terre, de l'Eau
De l'Air et de la Lumière
Nourrir nos corps, nos cœurs
Nos esprits et nos âmes

Puisses-tu nous transformer
Jusque dans chaque cellule
En Êtres divins
Bâtisseurs de l'Avenir
Artisans de la Paix

Merci
Merci à tous
Merci pour tout

Table de Vie

J'assistais pour la première fois en 1995 à une réunion de l'OCIA, un organisme de certification biologique. À l'ordre du jour s'inscrivaient un repas et des exposés.

Le souper, essentiellement constitué d'aliments certifiés, se montrait tel un étal multicolore, une féerie de beautés de la nature finement agencées. De longues tables se suivant offraient une variété de plats chauds et froids.

Il ne restait qu'à se servir
Pour commencer à manger
Il fallait avant bénir
Pour s'en approcher

En français puis en anglais fut chantée en chœur et mimée une courte bénédiction. Puis dans la joie du partage nous nous sommes régalés.

Je vous offre **Table de Vie** largement inspiré de ce bénédicité. Je l'ai revu et augmenté pour le retourner au bulletin de l'OCIA.

José Manuel

Réciter le bénédicité est un rituel devenu rare de nos jours. Toutefois prendre un temps d'arrêt avant le repas permet au corps et à l'esprit de se préparer à accueillir la matière et les émanations subtiles des aliments.

Par ce moment de recueillement puissiez-vous reconnaitre l'Abondance et rendre grâce à la Vie.

Pauline

Table de Vie

Bénies soient les fleurs

Bénis soient nos cœurs

Bénis soient les fruits

Béni soit l'esprit

Bénies soient les feuilles

Béni soit notre accueil

Bénies soient les racines

Bénie soit notre cuisine

Bénie soit la Vie

Bénis soient nos amis

BON APPÉTIT !

Méditation

La prière authentique n'est certainement pas celle répétée machinalement par l'esprit sans être pleinement ressentie. Aussi beaux et profonds soient ses mots, une prière devient vide de sens si elle ne s'exprime par le Cœur.

Il serait vain de prononcer quelques mots s'ils ne font vibrer l'être entier. Ainsi il est peu probable que la prière d'un tiers soit à votre mesure, à votre reflet. Il vous concerne de formuler vos propres élans tels qu'ils émanent de votre Cœur.

Je vous présente **Méditation** tel qu'il a jailli de mon être un jour. Puisse cette prière vous inspirer, vous amener à faire fleurir des profondeurs les mots qui ont un sens véritable pour vous.

Gardez-vous cependant de les répéter froidement. Rien ne doit rester statique. Lorsque ces mots d'un jour ne vous feront plus vibrer, abandonnez-les avec Reconnaissance, laissant l'espace libre à un nouveau Souffle de l'âme.

José Manuel

Une prière n'est pas destinée à un être logé à l'extérieur de soi. C'est un contact de soi à Soi, un message adressé à la partie divine de votre être.

Par la prière vous pouvez remercier, demander à être guidé, offrir vos services. Ce contact intérieur peut être avec ou sans les mots. La prière est unique. Elle est l'expression d'un moment, un élan du Cœur.

Pauline

Méditation

Prémices

Ô à Toi Bouddha
Bouddha tout Amour tout Compassion
Je Te réitère mon vœu de me purifier
De débarrasser mes corps physique et subtil
De toutes les souillures qui pourraient les entacher
De faire de mon être un être de Pure Lumière
Qui diffusera l'Amour sur l'Univers tout entier

Puissé-je manifester le Guérisseur en moi
Afin d'aider les êtres
À se libérer du *samsâra*[1]
Tous, jusqu'au dernier
Et ainsi participer
À l'Évolution spirituelle universelle
Tel est mon vœu le plus cher et le plus sincère
Tel est mon Unique Vœu

Ô avec Toi Bouddha
Bouddha tout Amour tout Compassion
Je prends refuge…

Puisses-Tu Bouddha
M'accompagner
À la Bouddhéité
Afin que je travaille à Tes côtés

---

1   Mot tibétain désignant, dans le bouddhisme, le cycle des
     morts et renaissances.

Je prends refuge avec le *Dharma*[1]
Les Saintes Écritures du Bouddha…

Puisse le Dharma
Me guider
À la Bouddhéité
Afin que j'enseigne Ses Paroles

Je prends refuge avec le *Sangha*[2]
Tous ces êtres sur le chemin de l'Éveil…

Je me joins au Sangha
Sur le chemin de l'Éveil
Afin que nous nous entraidions

MÉDITATION

MÉDITATION

MÉDITATION

MÉDITATION

MÉDITATION

MÉDITATION

---

1   Mot tibétain désignant, dans le bouddhisme, la doctrine du
     Bouddha.
2   Mot tibétain désignant, dans le bouddhisme, la communauté
     des gens engagés sur la voie de l'Illumination.

Clôture

Puisse cette méditation
M'amener à la Bouddhéité
Afin de rayonner l'Amour tel un soleil

Ô à Toi Bouddha
Bouddha tout Amour tout Compassion
Je T'offre ma vie
Ma vie toute entière
Ma vie présente et mes vies futures
Jusqu'à la fin des temps

Ô à Toi Bouddha
Je T'offre mon âme
Mon âme pour l'Éternité

Bouddha, je T'offre l'Univers
L'Univers tout entier

Puisses-Tu accepter cette offrande
Je suis Ton serviteur
Le serviteur de la Grande Œuvre

Puissé-je entendre Tes Volontés
Et les accomplir honorablement
Je suis prêt à tout

Merci
Merci pour tout

PARTIE V

Appels de Ce qui vient

Aie Foi en Sa Voix

*Suis **Son** chemin*
Rien ne te manquera
Au contraire s'ouvrira
La route vers demain

Le magasin

Ce *magasin* situé dans notre maison n'occupe aucune pièce particulière. Nous vendons des produits que nous consommons déjà. Ils sont rangés dans nos armoires.

Les *clients* viennent à leur guise. Si nous sommes absents, ils prennent ce dont ils ont besoin et laissent l'argent. Parfois le magasin se déplace en auto, au fil de nos sorties nous approvisionnons les gens.

Ce commerce donne lieu à des échanges peu banals. Des tomates et des concombres biologiques sont troqués contre de l'encens et de la moutarde de Dijon ! Il est aussi l'occasion de rencontres très riches où nous partageons des bouts de vie ou lions une nouvelle amitié.

Le système social est à repenser incluant la notion même de commerce. On doit sortir des sentiers battus et innover pour émerger du carcan actuel. Il est possible de faire les choses autrement. Chaque situation de la vie quotidienne offre une opportunité de transformation. Ce magasin en est un exemple.

Puisse **Le magasin** vous donner le goût d'innover et de passer à l'action, de commencer à bâtir le monde de demain, Ce qui vient.

Le magasin

Bienvenu au *magasin*
Sans horaire ni bannière
Il n'est pas ordinaire
C'est certain

Les produits sont variés
Nous les apprécions
Et vous proposons
De les essayer

Certains sont alimentaires
D'autres utilitaires
Ils sont à regarder
Â goûter ou humer

Ils deviennent le prétexte
D'une rencontre improvisée
L'occasion d'échanger
Ou de choisir des textes

C'est aussi un *dépanneur*[1]
Ouvert à toute heure
On se sert librement
Et dépose l'argent

Pour nous c'est une joie
De partager ces produits
Et des bouts de vie
Avec nos amis
Les gens qu'on côtoie

---

1   Expression québécoise désignant les petits magasins aux
longues heures d'ouverture qui offrent quelques produits
alimentaires de consommation courante.

Cœur à Cœur

Depuis déjà quelques mois nous accompagnons des êtres sur la voie de l'autoguérison. Certaines questions reviennent invariablement : Quelle est votre formation ? Votre approche s'apparente à quelle école ? Comment procédez-vous lors d'une rencontre ? Quel est votre horaire et à combien sont vos honoraires ?

Il nous était difficile de répondre à ces questions tellement elles se posaient hors du contexte de ce que nous offrions. Nos amis étaient encore plus embêtés lorsqu'on leur demandait des informations à notre sujet.

Pour remédier à la situation nous avons décidé d'écrire *Cœur à Cœur*. À la suite d'un questionnement de fond, nous avons tenté de trouver les mots justes capables de transmettre ce qui nous habitait et nous habite encore. Il exprime le plus honnêtement possible l'esprit dans lequel nous accompagnons.

Nous vous transmettons ici l'invitation lancée aux gens rencontrés au fil des évènements, du quotidien. Parfois nous faisons connaissance avec un être à une croisée de chemins sous un prétexte anodin qui donne lieu à un échange profond. Le dit hasard orchestre méticuleusement ces rencontres sous des formes souvent inattendues.

Cette invitation *Cœur à Cœur*, semée à tout vent, véhicule de cet élixir de Vie qui nous a animés tous deux à transformer radicalement, bien que progressivement, nos modes de vie, nos attitudes, nos schèmes de références. Chaque jour nous exprimons un peu plus notre nature première.

Cette transformation se traduit par les gestes posés mais surtout par l'esprit que ces gestes sous-tendent. Ce processus n'est jamais achevé. La mutation continue. Elle s'opère au rythme dicté par notre ouverture à la laisser s'épanouir. Le mouvement induit au début s'accélère au fil de nos prises de consciences. La Vie s'épanouit.

Cœur à Cœur

Aux êtres qui se questionnent, qui cherchent, à ceux qui vivent la confusion nous proposons un temps d'arrêt. C'est une opportunité de se lier à la Vie en son essence sacrée, de retrouver la Lumière en Soi, de découvrir sa Voie.

Loin d'être des obstacles, les aléas de la vie sont des guides vers des limites à dépasser. Ils offrent une opportunité de changer d'attitude face aux évènements et d'ouvrir sa Conscience sur l'Infini. En Paix, Libre, l'être fait des choix éclairés, exprime sa nature première en toute transparence.

Notre approche se manifeste par un accueil intégral de l'être, une communication directe *Cœur à Cœur*. Il n'y a ni techniques ni procédures particulières, les êtres et les circonstances étant uniques. Nous offrons cette Présence guidés par le Cœur.

Imposition énergétique des mains, ressenti des émotions et lecture de textes pourront aider l'être sur son parcours vers la Conscience de son essence divine. Nous l'accompagnons sur la voie de l'autoguérison.

Notre formation acquise à l'École de la Vie suit un processus continu. Nous accompagnons des êtres en marche commençant par nous-même. Cette voie ouvre nos consciences à de nouveaux horizons au delà de nos limites.

Notre bannière sans forme ni couleur exclut notre appartenance à un groupe sinon celui des êtres en évolution. Notre seul Engagement se situe face à nous-même sur la Voie de la Paix, de la Sagesse et de l'Amour inconditionnel.

Notre bureau est indéfini, il se situe là où nous sommes, l'horaire y est donc continu. Pour faire connaissance, vous pouvez nous joindre à notre domicile ou au détour d'un chemin.

Nos HONORAIRES sans forme ni direction déterminées sont universels. Chacun met du sien, en mouvement dans l'Univers, selon ses moyens et reçoit selon ses besoins.

À ceux dont l'Appel du Cœur
Donne la Certitude
Que nos Chemins s'unissent
Nous offrons cette Rencontre
Cœur à Cœur

Merci

Il est touchant de voir des gens s'ouvrir quelques minutes après leur arrivée. Ils racontent parfois une facette de leur vie qu'ils n'osent à peine s'avouer. Ils touchent d'intenses émotions, révèlent l'inavouable.

Ces gens venus s'ouvrir s'offrent un cadeau tout autant qu'ils nous en font un par la confiance qu'ils nous témoignent. Ils nous font prendre conscience d'aspects encore dissimulés en nos profondeurs. Nous les saisissons avec joie pour aller encore plus de l'avant.

Ainsi les êtres que nous accompagnons sur la voie de l'autoguérison sont tout aussi porteurs d'enseignements par les expériences de vie qu'ils amènent que nous sommes porteurs d'une quelconque onde de guérison.

Merci fut écrit à leur intention, à celle des gens qui ne comprennent pas que nous sommes tous impliqués durant une séance d'imposition des mains ou une *simple* rencontre. Il n'y a ni donneur ni receveur. Il y a seulement échange, communion, entre des êtres cheminants.

Il nous serait impensable de prétendre que l'aide que nous apportons aux êtres en marche est à sens unique. Il ne se présente aucune situation où nous donnons sans recevoir, où nous n'apprenons rien, où nous ne sommes emplis de quelque souffle régénérateur et transformateur.

Nous profitons ici de ces lignes pour dédier ce *Merci* à tous les êtres, incarnés ou non, qui ont fait de nous ce que nous sommes aujourd'hui. Nous en faisons de même à tous les lecteurs de ce bouquin et à tous ceux qui ont participé d'une quelconque façon, tangible ou non, à son édition.

Merci

On vous offre ces mots
Du fond de notre cœur
Merci de votre cadeau
C'est notre plus grand bonheur

Nous sommes touchés
Par votre confiance
D'être venu vous abandonner
Sur la voie de la Délivrance

Nous sommes alimentés
Par votre volonté
De vouloir franchir
Les pas du Devenir

Nous sommes comblés
En constatant votre élan
Celui qui fait avancer
Toujours plus en avant

Nous sommes émerveillés
De voir votre conscience
Sortir de l'obscurité
Montrer sa luminescence

Nous sommes ravis
D'avoir la chance
D'aider à sortir de l'oubli
Votre Nature, votre Essence

On célèbre avec vous
Cet instant sacré
Où les forces du Tout
Viennent se manifester

Nous sommes traversés
Nous sommes envahis
Nous sommes imprégnés
De tout cet Amour infini

C'est une bénédiction
De vous avoir ici
On vous remercie
D'être qui vous Êtes
De participer à la Grande Fête

Don à la Vie

Ce texte fut écrit pour être offert avec le précédent. Il induit la notion de mouvement, de cycle. Qu'est-ce que la vie sans le mouvement, l'échange, l'interdépendance ?

Don à la Vie propose de mettre en circulation, d'introduire dans la roue de la vie, ses talents, les biens qu'on possède. Ce processus amorcé produira un espace vacant permettant un renouveau. Comment peut-on recueillir une eau fraîche dans un vase déjà plein ? La libre circulation d'un cours exige l'ouverture des vannes. À bloquer les entrées ou les sorties on fige leur contrepartie. Il faut être prêt à se donner pour recevoir, il faut accepter de recevoir pour se donner.

Puissiez-vous découvrir sur les lignes de *Don à la Vie* la Richesse et la Joie de donner et servir avec Foi et Confiance comme de recevoir avec Reconnaissance et Simplicité.

Don à la Vie

On a reçu
En transmettant
On en a eu
Tout notre content

Vous avez eu
On sait
Même si vous n'avez pas su
C'est vrai

À l'être en mouvement
En questionnement
On offre qui l'on est
Du Cœur, un lien se crée

On donne à qui on peut donner
Un coup de pouce pour avancer
Afin qu'il reprenne son chemin
Et continue encore plus loin

Puis, il s'en va
Reviendra-t-il à notre porte ?
On ne sait pas
On l'ignore mais peu importe

La roue tourne ainsi
À son tour il donnera
À ceux qui sont dans l'embarras
À ceux qui ont du souci

Et ainsi de suite
Tous vont s'entraider
Dans l'action gratuite
Sans une fois compter

On reçoit de l'un
Qu'on ne rétribuera pas
On donne à un autre là-bas
Sans retour aucun

Donc donner partout
C'est recevoir à la fois
En fait, cela va de soi
Puisque nous sommes Tout

On vous demande donc ici
De participer à la Vie
D'offrir qui vous êtes
Sans compter sur les recettes

Ce sera le plus beau cadeau, oui
Pour l'Humanité entière
Pour le Grand Univers
Dont on fait tous partie

Mais si vous souhaitez vraiment
Du fond de votre être, profondément
Nous offrir votre vérité
Faites, sans hésiter

On va l'accueillir
Avec reconnaissance
Soyez sans réticence
Tout peut s'offrir

Que ce soit un dessin
Un bout de pain
Un pot de crème
Ou un poème

Que ce soit une idée
Une habileté
Un sourire
Ou un saphir

Que ce soit un soutien
Un coup de main
Une pépite d'or
Ou quoi encore

Peu importe la couleur
Si c'est du Cœur
Si c'est gratuit
C'est un don à la Vie
En voilà sa Vraie Valeur

Le jardinier

Le jardinier raconte métaphoriquement l'accomplissement joyeux, déterminé et patient de l'être qui prépare et cultive sa condition humaine, sa Terre bénie, pour y faire germer puis épanouir sa Nature première. Ce texte exprime, selon notre inspiration, le parcours de celui qui entreprend consciemment et activement la Voie sacrée, celle de la Grande Libération.

Puisse *Le jardinier* vous donner l'élan d'amorcer le défrichement de votre Terre bénie ou vous motiver à poursuivre avec enthousiasme son ameublissement et sa culture.

Quels qu'inimaginables soient les fruits que vous récoltiez, s'ils sont cultivés avec Foi, Amour et Reconnaissance nous avons la conviction qu'ils sauront vous nourrir, vous et les autres, au delà de vos espérances les plus audacieuses.

Le jardinier

Je suis jardinier
Je cultive l'âme
Sans gagne-pain
Ni denier
Incalculables
Sont les retombées

Je cultive sa noblesse
M'y consacre entièrement
Avec foi et ardeur
Celles de découvrir
Le potentiel pressenti
La Splendeur endormie

Mon Cœur résonne
À cet appel
Je m'abandonne
À ce courant
Ma vie je donne
Intégralement

Je sens l'Inspiration
La vibre en profondeur
À force de volonté
De patience, de doigté
Je vois poindre du dedans
Ce qui déjà Est

J'aspire à l'éclosion
Des Beautés infinies
En perpétuel devenir
En Amour avec tout
Avec l'Univers entier
Je cultive cette Terre bénie

Je laboure mon âme
Qui enserre en elle
Depuis si longtemps
L'Essence divine
Je trace des sillons
Ouvre cette Terre bénie

Je sarcle mon âme
Arrache les préjugés
Les attitudes erronées
Enracinées en profondeur
Je brise les lacis enfouis
Nettoie cette Terre bénie

J'épierre mon âme
De ses grosses masses
Lourdes et gênantes
Freinant mon élan
J'ôte les obstacles
Dégage cette Terre bénie

Je herse mon âme
Dense et grossière
Défais les mottes durcies
Par les siècles, les intempéries
J'affine la texture
Assouplis cette Terre bénie

Je fume mon âme
Des meilleurs engrais
Épands à profusion
Accueil et compréhension
J'enrichis la matrice
Nourris cette Terre bénie

J'ensemence mon âme
De graines sélectionnées
De pensées de Paix
D'Amour, de Compassion
Je choisis mes cultures
Les dédie à cette Terre bénie

J'arrose mon âme
De sources cristallines
Les Pluies célestes
La Lumière divine
Complètent l'œuvre
Je Remercie

Je vois alors germer
L'essence de mon âme
Sagesse
Force et Amour
Paix et Joie
Elle s'ennoblit

Vient la floraison
Les parfums embaument
Les multiples coloris
Fusent de toute part
Cette joyeuse féerie
Annonce la moisson

Suit la fructification
Partout apparaissent
De nombreux joyaux
Les premières cueillettes
Offrent leurs délices
Je les reçois avec Bonheur

Pousse continuellement
Ce jardin de fleurs
Un jardin de Cœur
Ce jardin de fruits
Un jardin d'Esprit
Riche et abondant

La maturation s'accomplit
Les joyaux foisonnent
Se diversifient
Le récolte perdure
Je donne à tous vents
Généreusement

Je suis nourri
De ces fruits bénis
Mon quotidien
S'est imprégné
De cette Foi absolue
En la Nature de cette Terre

Je m'abreuve enfin
À la Coupe de Vie
De l'Élixir divin
Projetée dans l'Immensité
Mon âme exulte
Revient à la Vie

C'est la Grande Fête
Des jardiniers du devenir
La Célébration
De l'Amour, de la Vie
La Consécration
De la Terre bénie

Aimante de profession

Aimante de profession illustre le parcours de celui qui, ayant pris conscience de son propre geôle, choisit de s'en libérer. Il découvre alors le sens véritable de son existence et s'offre à tous, fait don intégral de lui-même. Tous peuvent déchirer l'obscurité intérieure par un basculement de la conscience, retrouver cet état d'être et s'y abandonner pour Servir, devenir l'instrument du Divin. Dans cet état de rayonnement, chacun inonde de Paix et d'Amour, par sa simple présence, là où il est et jusqu'aux confins de l'infini.

Nous dédions **Aimante de profession** à tous ceux que l'Amour anime, que l'Amour inspire. Puisse-t-il vous emporter dans son courant de Joie et d'Abondance, dans son élan de Vie.

Aimante de profession

Je suis là
Juste là
Pour Aimer
Je suis Amour

Aimer tout, tous et toutes
Quoi de plus à faire ?
Rien, juste Aimer
C'est tout

Je bénis ce jour
Où j'ai reconnu
Que ma vie m'échappait
J'ai abdiqué
Devant cette absurdité
Non par soumission
Simple compréhension

Me gouvernaient
Peurs et préjugés
Habitudes et croyances
Ignorance et désirs
Mon geôle fut démasqué

Le voile des illusions écarté
Révèle avec clarté
Ma véritable profession
Je vouerai ma vie à Aimer
À Rayonner à tous vents

Finis les chimères
Les luttes, les combats
Dès aujourd'hui
Avec Certitude
Je vis l'Amour

L'esprit apaisé
Serein, en Paix
Libre de guerres intestines
J'Aime et j'Aime encore
J'Aime sans condition

Ainsi je porte
Je sème
Je diffuse
Aimante de la vie
Aimante à vie

Chaque jour m'apporte
Un lot d'expériences
Confrontantes et inédites
L'Amour grandit
Une frontière se transcende
Un écran est franchi
Il n'y a point de limites

Je vois se manifester
Nombreux changements
Ils naissent simultanément
En mon for intérieur
Chez les gens
En ce qui m'entoure
Œuvre magnifique !

Aimer ici
Aimer ailleurs
Ne me cause soucis
J'aime partout
De tout Cœur
Là où je suis

Je puis Aimer
Dans la circulation aliénée
Dans la foule électrisée
Dans une famille accablée
Dans un bistro mal famé
Dans un temple sacré
Dans la nature enchantée
Toujours je puis Aimer

Où que je sois
Je puis Rayonner
D'une jungle enchevêtrée
D'une mer agitée
D'une étendue désertique
D'une caverne obscure
D'un sommet immaculé
De quelque région habitée
Toujours je puis Aimer

Je ne peux contenir
Ce flot continu
Cet Amour se propage
Aux individus
À l'humanité
À l'Univers entier

Je puis tout Aimer
La maladie, la mort
Quelque triste évènement
Affligeant l'humain
La famine, la guerre
Quelque sordide situation
Répugnante à tous
Les foudres de la nature
Quelque ravageur désastre
Détruisant nos sociétés
Tout je puis Aimer

Je puis Aimer tous et toutes
L'enfant terrifié
L'adolescent révolté
Le parent injuste
L'aîné esseulé
Le malade répugnant
L'employé fainéant
Le patron intraitable
L'instructeur incohérent
Le chef inconscient
Le fou meurtrier
Tous et toutes je puis Aimer

Aucun geste d'éclat
Aucune inutile parole
D'un simple regard
Éclôt le contact
Porteuse d'Espoir
Semeuse d'Amour
Diffuseuse de Lumière
Je suis Amour

Mon bureau
N'a pignon sur rue
Il est partout
Je pratique au quotidien
En continu

Mes honoraires
Sont universels
Être aimante
Me nourrit
Des fruits de la Vie
Quelle abondance !

Je suis engagée
Dans cette profession
Me consacre
Juste à Aimer

Croisée de chemins

Croisée de chemins exprime, selon notre inspiration, la rencontre de deux êtres lumineux se reconnaissant instantanément. Ils joignent leurs chemins, le temps d'unir leur action en un même mouvement, en une œuvre conjointe.

Ces êtres sont Un en eux-mêmes, ne font qu'Un, ensemble et avec leur entourage, leur environnement. Cette unité fondamentale leur permet d'agir avec Justesse puisque l'extérieur se confond avec leur intérieur.

Puisse **Croisée de chemins** vous encourager à retrouver cette Force d'action juste et précise propre à l'Unité.

Croisée de chemins

Deux êtres
Purs
Vont
Inspirés

Où ils sont
Règnent Paix
Et Communion
Continuellement

Immobiles
Silencieux
Présents
Simplement

Ils rayonnent
La Lumière
Illuminent
Splendidement

Un jour
Ils croisent
Leur chemin
Inopinément

Leurs regards
Se rencontrent
Ils fusionnent
Instantanément

Aucun mot
Aucun geste
Ils s'unissent
Naturellement

Ils s'embrasent
Dans la Lumière
Dans l'Amour
Spontanément

La puissance
Des deux réunis
Surpasse
La somme des deux

Leur Force
En synergie
Accomplit
Sans répit

Unis à tout
Tous et toutes
Ils agissent
Avec Justesse

Ils avancent
Un temps ensemble
Entiers à l'écho
Du moment présent

Un jour
Ils bifurquent
L'un à droite
L'autre à gauche

Ils s'éloignent
Dans la Joie
De s'être unis
D'avoir construit

Là s'achève
Le parcours commun
Mais rien n'arrête
L'œuvre continue

Enrichis
De l'expérience
Ils gagnent
En Conscience

Justesse d'Action
Brillera
Compassion
Resplendira
Unité toujours sera

PARTIE VI

Appels d'une vie

Aie Foi en ta voie

Où que tu sois
Quoi que tu penses
Sa *Présence*
Gît en toi

Misère

Je qualifierais les vingt-deux premières années de ma vie de faciles, trop faciles peut-être. Il n'était pas concevable pour mon père qu'un étudiant travaille. Je me complaisais dans cette facilité que je payais d'un sentiment d'étouffement et de dépendance.

À vingt-deux ans, j'entreprends un premier emploi. J'y suis obligé d'une certaine manière car la Corporation professionnelle exige ces stages pour m'admettre à titre d'ingénieur. Je quitte ce boulot au bout de deux mois : j'ai l'impression de devenir l'esclave d'un indigne patron.

J'habite un an chez mes parents sans étudier ni travailler à l'extérieur. J'ai été presque entièrement pris en charge par eux jusqu'à ce que je parte un an et demi en Europe et au Proche-Orient par mes propres moyens.

La *misère* que je n'ai vécue durant ces nombreuses années, ce contact avec la réalité de la vie des gens, je suis allé la chercher par ce premier voyage. Je partais découvrir la vie, rompant la dépendance parentale dans un élan de liberté. Je me suis jeté dans ce que certains nomment la misère avec un esprit de découverte, dans la Joie.

Plusieurs années s'étaient écoulées quand cette longue série de seize poèmes m'est arrivée en vrac. Je vivais seul la durée d'un contrat dans une chambre sur une ferme à proximité de Sucre, en Bolivie. Le soir ou durant mes temps libres, ma plume s'emportait. J'écrivais trois ou quatre quatrains successifs ou parfois, un ou deux isolés. La pensée bousculait la main et les feuilles annotées s'accumulaient pêle-mêle jour après jour.

J'étais étonné du volume de quatrains transcrits quotidiennement. Au fur et à mesure, je tentais de mettre de l'ordre dans ce fouillis. Je regroupais les morceaux de ce casse-tête en entités paraissant complètes. En même temps se continuait l'écriture de nouveaux vers. Je me voyais raconter une facette de ma vie en rimes. *Une autobiographie poétique... ce n'est pas banal !* me disais-je.

J'écris, je place, je déplace, je replace et j'écris encore. J'y vais de façon chronologique et regroupe le parcours de ma vie en étapes successives. J'intitule chacune de ces parties et y glisse au fur et à mesure les quatrains s'y rapportant. Au bout de quelques semaines tout est fait, rédigé, classé, organisé et fignolé.

Voilà donc cette série épique et poétique intitulée *Misère*. Je vous la propose en guise de présentation de l'auteur. J'y raconte un aspect de ma vie de 1986 à 1993 sous le thème de la misère.

Vous trouverez plus de détails dans les récits de voyages commentés présentement en préparation. Ils relatent mon cheminement de vie sur le canevas de trois grands périples : 17 mois en Europe et au Proche-Orient, 5 mois en Inde et 13 mois en Amérique du Sud. Ils seront publiés dès que possible.

José Manuel

À travers cette autobiographie José amorce une réflexion sur la misère. Quand on pense à la misère, on l'imagine spontanément issue de la pauvreté matérielle, des difficultés de la vie.

Il existe aussi la misère invisible qui terrasse, celle du dedans. Qu'est-elle réellement ? Que peut-on pour s'en prémunir ?

Cette série de poèmes s'adresse à toute personne curieuse de connaitre l'auteur, à toutes celles qui sont accablées par la misère, ou y sont sensibles.

Pauline

Lexique des mots en italique

Ce petit lexique définit, explique ou donne des informations complémentaires sur les mots en italique de la série *Misère*. Il s'agit souvent de mots empruntés à une langue étrangère ou d'expressions locales ayant un sens différent de l'usage commun.

Misère – 3

Millage : l'équivalent de kilométrage mais plutôt compté en milles ; usuel au Québec.

Misère – 4

Kibboutz : mot hébreu francisé désignant une communauté à l'origine agricole mais aussi industrielle aujourd'hui. Les *kibboutznik*, membres de la collectivité, sont entièrement pris en charge par elle en échange de leur travail. Tout leur est fourni mais rien ne leur appartient si ce n'est leurs effets personnels. À l'époque, la population des kibboutz représentait environ quatre pour cent de celle d'Israël.

Misère – 5

Batey : mot espagnol désignant les raffineries de sucre. En République Dominicaine on l'utilise en parlant des camps, ou petits villages, construits dans les plantations de canne à sucre. Dans le langage de la coopération internationale ce mot exprime précisément ces villages habités par des haïtiens détenus en état d'esclavage.

Zafra : récolte de la canne à sucre.

Misère – 6

Bien-être : dénomination courante et populaire des prestations de la Sécurité du revenu du Québec autrefois nommée le Bien-être social. Il est souvent dit simplement le BS.

Faire du terrain : expression usuelle chez les forestiers et autres professionnels des sciences de la nature. *Faire du terrain* désigne le travail accompli dehors contrairement à *faire du bureau*.

Misère – 7

Touk-touk : véhicule-taxi à trois roues pouvant transporter deux passagers. Le bruit du moteur a peut-être inspiré le nom ! Le rick-shaw, mû par l'énergie humaine, est son équivalent à pédales. Les deux pullulent en Inde.

English rupee : la roupie (*rupee* en anglais) est la monnaie de l'Inde. Pour mon interlocuteur l'*english rupee* désignait le dollar américain ! Je n'ai entendu une autre fois cette dénomination farfelue.

Misère – 8

Cachemiri : en Inde, nom donné aux habitants du Cachemire.

Toy train : petit train étroit fonctionnant à vapeur. Il parcourt les 80 km entre Siliguri et Darjeeling en huit heures, gravissant l'Himalaya jusqu'à 2 200 mètres d'altitude. Il est réputé par les touristes être le seul train au monde duquel on puisse descendre, prendre une photo, et remonter alors qu'il est en route !

Misère – 9

Universitaire : le monastère, ou lamaserie, de Rumtek est réputée (m'a-t-on dit) accueillir les nouvelles incarnations d'anciens maîtres afin de leur prodiguer un enseignement poussé. Certains occidentaux le compare à une institution universitaire considérant le *degré avancé* de ses *étudiants.*

Tulku : incarnation reconnue comme étant celle d'un ancien maître chez les bouddhistes tibétains.

Samsâra : cycle des morts et renaissances, des existences conditionnées par la loi du *karma.* La seule issue consiste en l'Illumination par laquelle on atteint le *Nirvâna.*

Pûjâ : généralement une cérémonie de chants sacrés accompagnés ou non de musique.

Mahâkâla : divinité gardienne de la Loi. Elle protège la Pensée bouddhique et les individus des dangers et des mauvaises influences extérieures.

Misère – 12

Chiné : mot tibétain signifiant *pacification mentale.* Le *chiné* consiste en la première étape de l'apprentissage de la méditation. Une deuxième phase nommée *lhaktong* se traduirait par *vision pénétrante.*

Misère – 13

Focusser : le terme juste en français serait *focaliser.* Focusser devient cependant de plus en plus présent dans le vocabulaire et je suis tenté de dire qu'il est plus approprié que focaliser dans le contexte où il a été écrit.

Misère

1 – Misère, existes-tu ?

Misère, où te caches-tu ?
Je te cherche à chaque pas
Misère, je ne te trouve pas
Dis-moi, existes-tu ?

Dans ma riche et grande contrée
Tous les jours on parle de toi
De ton caractère infâme et sournois
De ta conquête du monde entier

On nous montre des images
Des scènes apocalyptiques
Commentées d'un langage
Au ton choisi dramatique

L'histoire racontée a lieu
Dans le quartier des gueux
Ou dans un pays lointain
Dont on ignore le quotidien

Oui, c'est vrai, je vois des choses
Au petit écran entre deux pauses
Dans les rues ou dans les champs
Voilà la Misère dit-on, et vlan !

Comment savoir maintenant
Si ce constat habituel
Est bien la Misère réelle
Celle qu'on pointe odieusement ?

Je veux aller au delà de l'écran
Connaitre la Misère vraiment
Suivre ses traces, la débusquer
La palper, la sentir, la goûter

Je veux percer son identité
De mon être l'intégrer
Car la théorie
N'a jamais suffi

J'irai où il faudra
Je te démasquerai
Misère, quand je t'aurai
Je saurai que tu existes
Car tu auras vécu en moi

2 – *Misère, qui es-tu ?*

Avant de te vivre pleinement
Je dois t'aborder de l'esprit
T'imager mentalement
Fabriquer une idée définie

Voici mes premiers résultats
La cartographie de tes habitats
J'irai chercher dès demain
Ton portrait-robot en main

D'après ce que j'ai su
Tu prospères dans la pauvreté
Chez les peuples démunis, nus
J'espère bien t'y rencontrer

Sinon ce sera dans les difficultés
Dans l'effort excessif, prolongé
Sous un climat dur, éprouvant
Sans ressources ni réconfortant

Ou alors dans l'injustice
De l'abus d'un pair
Exigeant un travail sans vices
Contre un maigre salaire

La maladie aussi te plaît
Les plus longues et souffrantes
Les plus laides et purulentes
Celles qui déforment à jamais

Dans le dénuement des biens
Dans l'inconfort et l'insécurité
Je finirai par te trouver
Et dévoilerai ton visage
Pour enfin savoir qui tu es

3 – Bac ès vie

Un jour je suis parti
Loin du foyer moelleux
Afin de connaitre la vie
Ce qu'elle a de pire, de mieux

Au départ c'était inconscient
Tout se passait en moi
Devant, s'ouvrait la voie
Me guidant subtilement

J'ai stoppé la foresterie
Pour un bac ès vie
France, Suisse et Grèce en un an
Puis six mois au Proche-Orient

J'ai couché sous la tente
Au bord des routes, sur la plage
En stop, de longues attentes
Pour parfois peu de *millage*

Des homos m'ont embarqué
Certains étaient entreprenants
Librement je leur ai parlé
L'un d'eux m'a quitté en pleurant

Sur l'autoroute d'Italie
Des travestis j'ai croisés
La nuit ne m'a inspirée
Dans un vestibule j'ai dormi

Arrivé à Lyon très tard
J'ai passé la nuit à la gare
Gardant mes bagages à vue
Jusqu'au départ le jour venu

En Grèce des oranges j'ai cueillies
Au froid, le matin, après un whisky
Une tonne par jour amassée
Permet à peine d'épargner

À Eilat, côte d'azur d'Israël
Sous les regards de mépris
J'ai lavé les vitres salies
Par les clients d'un chic hôtel

J'ai aussi été journalier
Parmi d'autres étrangers
On nous offrait le dur labeur
Considéré sans valeur

Le matin dans un bistro
Se rejoignaient ces illégaux
Attendant comme sur un étalage
D'être choisis au passage

Ce fut ma première quête
D'aventure, de liberté
Cherchant obstacles et défis
Dépassant mes limites
Pour humer la vie

4 – *Misère, où te caches-tu ?*

J'ai traversé des déserts
Sous le soleil brûlant
J'ai traversé des mers
Sous la pluie et le vent

J'ai traversé villes et villages
Parcouru monts et vaux
Rencontrant gens de tout âge
De toute classe ou niveau

J'ai vécu moult difficultés
De corps, cœur et argent
Avec la nature et les gens
La Misère ne s'est montrée

Oui j'ai eu des peurs
Dans le métro à Paris
Dans le désert du Sinaï
Sur la route à 200 à l'heure

Oui des colères j'ai piquées
Dans un *kibboutz,* isolé
Dans un hôtel à Brindisi
Avec une vieille, pour le prix

Oui j'ai eu des soucis
Où aller maintenant ?
Où coucher cette nuit ?
Que faire en attendant ?

Oui j'ai bossé durement
Sous 45 degrés, piochant
J'ai cueilli des raisins, accroupi
Finissant le dos en charpie

Oui je me suis limité
J'ai réduit mes déplacements
Des visites j'ai ratées
Par peur de manquer d'argent

Oui j'ai stressé ma dose
Ma copine j'ai attendue
Fumant deux heures, sans pause
L'avion n'arrivait plus

Oui j'ai souffert
À nous voir diverger
Oui j'ai angoissé
À ne savoir que faire

Non, la Misère n'est pas là
Ni son ombre je n'ai vue
Ni son parfum je n'ai eu
La Misère n'est pas cela

Obstacles et difficultés
Vécus jours et nuits
Sont des occasions
D'apprendre sur soi
Sur les nuances de la vie

5 – *Période transitoire*

De retour avec vingt dollars
Un boulot m'arrive aussitôt
À la Baie-James je pars
Alternent hélico, boulot, dodo

Je projette le Yukon l'été
Planter des arbres, chercher de l'or
La route s'amorce à l'aurore
Je fais demi-tour, forcé

Mes calculs avaient failli
Je n'avais pas l'argent
Pour payer le carburant
Jusqu'au lieu choisi

Grâce à un ami
Le matin même j'ai trouvé
Un emploi pour l'été
Destination l'Abitibi

De retour à l'université
Après trois ans comptés
Mon bac je poursuis
Il m'apparait un jeu de la vie

Aux fêtes, je repars sous le vent
Pour les Antilles cette fois
Ma nouvelle amie m'attend
Depuis déjà quelques mois

Elle travaille avec espoir
Dans les *bateyes* ingrats
Avec les esclaves noirs
Qui peinent à la *zafra*

Je prépare mon mémoire
En étudiant le territoire
Je planifie revenir l'été suivant
À titre de coopérant

Confrontée à des abus de pouvoir
Elle rompt son contrat
Ébranlée, ayant le cafard
Nous rentrons au Canada

Ma vie d'ingénieur commence
Le travail s'avère intermittent
Trois à six mois avec de la chance
Je dois chercher entre-temps

Pour me rendre au bureau
À 100 km de chez moi
J'affronte neige et verglas
Voilà un de ces boulots

Passent trois ans dans la monotonie
De l'attente d'un boulot annoncé
Dans les déménagements suivis
Au gré des emplois décrochés

À l'incertain climat économique
Aux multiples maisons habitées
Jusqu'à cinq dans l'année
S'ajoute la vie amoureuse critique

Dans ce flux et reflux de la vie
De jours de soleil et de pluie
Je cumule moult expériences
Qui feront mûrir d'anciens acquis
Glanés au cours du bac ès vie

6 – *Les abandons*

Déjà trois ans dans quelques jours
Un *M'aimes-tu ?* m'est répété
Trahissant une vérité niée
Ce fut le point de non-retour

Sans un rond depuis des mois
Sans le *Bien-être* escompté
Je trouve enfin un emploi
Comme technicien, bien payé

Le boulot s'avère déprimant
Je veux quitter pour la Californie
Durant tout l'été avec un ami
Il dit *Non*, simplement

Au bureau je prépare l'ultimatum :
Je fais du terrain ou j'abandonne
Inutile de passer à l'action
On m'en fait la proposition

Du Québec, je visite les recoins
Par l'autoroute et dans les bois
Le pique-nique derrière l'engin
Je travaille dans la joie

Un jour, à mon repas préféré
Je laisse la viande et réduis ma platée
Le carnivore surnommé broyeur
Devient végétarien à ses heures

Bière, gin, whisky, porto
J'en ai bu ma dose
Arrosé de vin au tonneau
Spontanément l'arrêt s'impose

Soudain, surgie de nulle part
Une pulsion inusitée m'habite
Avec une force venue d'autre part
L'Inde m'appelle au plus vite

L'emploi m'apporte l'argent
Mon nouveau célibat, la liberté
Mon projet d'entreprise avorté
Réduit les contraintes à néant

Je laisse ma maison bicentenaire
Vends mon auto à bon prix
Prête nombre d'affaires
À la famille et aux amis

En huit mois tout se loge
Avec la précision d'une horloge
Je m'envole, ignorant vers quoi
Abandonnant tout derrière moi

Je pars à la recherche
D'un objet intangible, indéfini
Guettant les indices à décoder
Sur cette quête sans visage
Aucun retour n'est prévu

7 – Mot de bienvenue

Me voilà à Delhi
À trois heures, la nuit
De nouveaux parfums je respire
Attendant le jour pour partir

La ville est encore endormie
Quand j'y pose les pieds
Je ne sais m'orienter
À un type je me fie

Il m'amène n'importe où
Dans un *touk-touk* à moteur
Monte un scénario à faire peur
Je n'y crois pas du tout

Crevé du long transit
Et de la nuit à l'aéroport
Je me laisse ballotter à bord
Sachant qu'il en profite

Les dix roupies annoncées
Deviennent des *english rupees*
Trente dollars je dois payer !
On ne rit plus à ce prix

La discussion s'envenime
On veut m'intimider
Je puise dans mon courage
Et m'extirpe du pétrin
Bienvenue en Inde me dis-je !

8 – *Errance*

Je pénètre un monde différent
Mes références ne servent plus
J'avance et visite sans but
Scrutant la vie tel un ignorant

Je ne passe un instant
Sans rien voir de surprenant
À chaque détour ou coin de rue
Les découvertes continuent

Vaches, chèvres, cochons
Se promènent en plein Delhi
Dans la fumée des camions
Entre les gens qui mendient

Des infirmes, des lépreux
Des enfants presque nus
Un peuple tumultueux
Ce décor m'est inconnu

Bientôt je suis invité
Chez un jeune *cachemiri*
Petite chambre non meublée
Nous vivons quatre dans ce cagibi

Je continue ma route
Cherchant ma destination
Au gré des fascinations
Dont l'exotisme déroute

Des diseurs de bonne aventure
Aux bouses séchées sur les murs
Du Taj Mahal de marbre blanc
À la pauvreté extrême des mendiants

Je vois les corps qu'on brûle
Au bord du Gange sacré
L'odeur de viande grillée
Embaume le crépuscule

En train, 18 heures j'ai passées
À tirs de pierres il fut attaqué
Des vitres ont volé en éclats
Puis ce fut le calme plat

Le *toy train* m'a conduit
En montagnes, au pays du thé
À Darjeeling maintenant je suis
Chez les tibétains exilés

Six jours seul dans l'Himalaya
Je parcours des sentiers éloignés
À 3 600 mètres dans le froid
La brume masque l'Everest espéré

Ainsi je vogue sans sextant
Dans l'étrange, l'insolite
Cherchant à tout vent
Un indice pour me guider
Sur la voie déjà pressentie

9 – L'Ultime Offrande

Avant de quitter ma contrée
À un bouddha j'ai rêvé
Il était blanc lumineux
Le décrire serait oiseux

Je Savais mon dessein
Mais y restais sourd
J'arrive enfin
Malgré les détours

Sur la route du Sikkim
Je croise un gars rarissime
Il va à Rumtek, au monastère
Des bouddhistes *universitaires*

Les *tulkus* y sont formés
Incarnations de lamas
Libérés du *samsâra*
Des existences conditionnées

Ils reviennent sur terre
De façon désintéressée
Pour servir et aider
Dissiper la Misère

Cette religion je ne connais
Elle n'en est pas une en fait
Puisqu'il n'y a pas de dieu ici
Seuls des êtres accomplis

Les *pûjâs* sont énergie
D'une vibration très élevée
Du chaos apparent observé
Jaillit une puissante harmonie

Chaque soir j'y ai assisté
Dans le respect de la cérémonie
Un jour le *Mahâkâla* m'a appelé
Avec une force, un pouvoir inouï

J'y suis allé sans compromis
Forçant les portes pour avancer
Comme jamais je n'eus imaginé
Un état d'urgence m'avait envahi

Mahâkâla le protecteur
Habite une salle isolée
À l'abri du regard des étrangers
Ses vibrations sont supérieures

La musique m'a envoûté
A pénétré mon âme en profondeur
M'a transformé à perpétuité
A semé en moi la graine du Bonheur

J'avais déjà délaissé beaucoup
Au cours des dernières années
Des plaisirs matériels surtout
Mais tout n'était pas donné

Ce jour, seul sur un rocher
Je fais l'Offrande ultime
Celle de ma vie, de mon âme
Pour servir l'Humanité, l'Univers entier
Une Offrande pour l'Éternité

10 – J'ai tout perdu

J'ai perdu mes désirs, mes envies
Cette quête de l'apparat
Qui fait souffrir toute la vie
Provoquant jalousie et embarras

J'ai perdu ma colère
Contre la vie réfractaire
Je n'ai plus rien à protéger
Mon ego s'étant dilué

J'ai perdu ma peur aussi
D'être blessé, de souffrir
De tomber, de périr
J'ai déjà donné ma vie

Je n'ai plus d'ennemis
Contre qui porter des tirs
Je leur pardonne sans frémir
Ils sont maintenant amis

J'ai perdu mes aspirations
D'arriver à la table d'honneur
Je n'ai plus le stress de l'ambition
Je suis humble serviteur

J'ai perdu la frustration
De mon incapacité d'action
Devant les injustices immondes
Qui pullulent en ce monde

Au possesseur comme au dépossédé
Au persécuteur comme au persécuté
À l'exploiteur comme à l'exploité
Au bourreau comme au flagellé

À la mesure de mes moyens
Je donne mes vies pour l'Éternité
Je donne mon Cœur à perpétuité
Avec Amour, sans condition
Avec Sagesse et Compassion

11 – L'aveugle

On a beau vouloir aider
Avec bonne volonté
Ce n'est pas suffisant
Il faut un brin de talent

À deux points je pense
Pour assurer la compétence :
Une Vision claire, sans biais
Un Cœur pur, en Paix

Sinon on risque fort
De passer droit à côté
Causant nombreux torts
À l'inverse du résultat visé

Je suis un aveugle, un rien
Mes moyens sont limités
Comment donner, rayonner
Ce qui n'est encore mien ?

Ma vision voilée
Par l'agitation du mental
M'empêche de discerner
La Réalité fondamentale

Sans voir avec justesse
L'essence de ce qui blesse
Comment apporter soutien
À celui qui en a besoin ?

Voilà le constat de l'aveugle
Désirant faire sa part
La motivation de l'aveugle
En quête du Savoir

Rien n'est pourtant vain
Aux plus démunis que soi
On peut prêter main
Communiquer la joie

Notre présence procure
Un bienfait, un répit
Donne bonne figure
Ensemence la vie

Nul besoin de tout régler
D'harmoniser l'humanité
Mais d'y aller de soi
De ce que l'on a

Aveugle, handicapé
Rien n'est arrêté
Mes forces dorment
Prêtes à prendre forme

Ni la Vision pénétrante
Ni la Paix intégrale
À nuls ne sont interdites
Je continue sur la voie
De l'Amour, la Compassion

12 – Méditation

Le mental en cavale
Agit tel un épais voile
Masquant le Cœur, sa vision
Au profit de la raison

Un corps fatigué
S'assoit, se repose
Alors que la pensée
N'a jamais sa pause

Un lama m'enseigne *chiné*
Le mental pacifié
Calmé de sa tension
J'apprends la méditation

Je pratique en sessions
Chaque jour depuis 18 mois
Vingt minutes, une heure parfois
Suivies des quatre réflexions

J'ai une orientation
Mais j'ignore la destination
J'avance vers la Vision vraie
Sur la voie du Cœur, de la Paix

Que dire à ce propos ?
L'effet n'est point frappant
Plutôt subtil, inconscient
On constate le nouvel état
Sans noter la transition

13 – Réflexions

Méditer apaise le mental
Détaché des pensées
On les regarde passer
Hors de leur spirale

Vient le calme, le repos
Qui prépare, rend dispos
Aux réflexions illimitées
Sur quatre thèmes donnés

L'EXISTENCE EST SOUFFRANCE

Depuis la naissance
Gros maux et petits
Amènent la souffrance
Avec peu de répits

Ce peut être une blessure
Ou une maladie qui dure
Ce peut être une angoisse
Ou un malaise plus coriace

On ne peut y échapper
Elle nous cerne chaque jour
Après un instant de volupté
Ou au prochain détour

La seule issue possible
Se libérer des existences
Par le Chemin qui avance
Dans les Champs intangibles

L'improbabilité de naître humain

Des poissons, des oiseaux
Des reptiles, des mammifères
L'humain est certes minoritaire
Parmi tous les animaux

La probabilité approche zéro
De s'incarner humain
Encore plus rare et incertain
Naître sans majeurs fardeaux

La forme humaine unique
Offre un potentiel si grand
Qu'on doit user pleinement
De cette vie magnifique

La nature transitoire des choses

Elle *focusse* au présent, ici
Car ce qui existe aujourd'hui
La conjoncture des éléments
Est en perpétuel mouvement

Si on ne saisit l'occasion
Lorsqu'elle se présente
On peut rester dans l'attente
Voguant dans l'illusion

Elle nous dit aussi
Que tout va cesser
Que rien n'est acquis
Qu'on peut encore changer

Le lien de cause à effet

Chaque action ou inaction
A de fatales répercussions
Chaque chose arrivant à l'heure
A des causes antérieures

Rien ne germe sans raison
Le passé a forgé le présent
Le futur se dessine maintenant
Selon nos choix, nos décisions

C'est une constante motivation
À continuer les méditations
Pour tranquilliser le mental
Manifester la Vision intégrale

C'est aussi la Loi du karma
Le cause à effet extrapolé
Qui nous suit dans l'au-delà
Et nous envoie étudier

À l'Université spirituelle
Le système coopératif
De stages terrestres perpétuels
Suit un régime intensif

L'incarnation humaine
N'est ni durable ni certaine
Elle est soumise à la Loi
Qui enseigne la Foi

Les résultats sont garantis
Les profs ont du talent
Ce sont les aléas de la vie
Ainsi l'âme s'élève
Vers une Spiritualité accomplie

14 – J'ai cherché trop loin

J'ai connu le froid
Des hivers québécois
Des sommets enneigés
Des maisons peu chauffées

J'ai connu les chaleurs
Du désert à quatorze heures
De l'effort qui fait suer
De la foule entassée

J'ai connu l'inconfort
De la vie d'errant
J'ai connu l'effort
Du pas en avant

J'ai connu l'insécurité
Du chemin de la liberté
J'ai connu la dépendance
Du dépouillé de l'existence

J'ai connu le travail dur
Pour une maigre pitance
J'ai dû sauter des murs
En situation d'urgence

J'ai connu l'humiliation
De l'être méprisé
L'échec des projets avortés
L'opacité de la confusion

J'ai connu un brin la vie
Comme tous les gens
Ma quête n'a fleuri
Elle reste en suspens

Là ne court la Misère
Je ne l'ai débusquée
Ni en l'air ni par terre
Elle ne se sera pointée

Plus je cherche là-bas
Moins je la trouve
Moins j'y crois
J'ai dû réfléchir, redéfinir
J'ai dû laisser mûrir

15 – Insaisissable paradoxe

J'ai encore tout à connaitre
De ce monde inimaginable
De cet Univers insondable
Habitat de tous les êtres

Plus je saisis le Grand
Plus je me sais ignorant
Sur le sinueux chemin
J'avance jusqu'à demain

Au retour à la maison
Dans ma riche contrée
J'ai vu son expression
Chez ceux disant la détester

Ils ont ce qu'il faut
Pour laisser au cachot
Cette Misère dite odieuse
Et mener une vie heureuse

Le paradoxe est de taille
Les privilégiés de la terre
Expriment plus de Misère
Que les gueux sur la paille

La Misère ne se traque
Plus on la poursuit
Plus elle se plaque
Sa nature est indéfinie

Comment l'attraper
S'incorporer à elle ?
Puisque sa réalité
Est virtuelle

Comment croire en toi ?
Ô mystérieuse Misère
Tes effets ne suffisent guère
À prouver que tu es
Que conclure de cela ?

16 – Eurêka !

J'ai découvert la Misère
Pas directement, non
J'ai suspecté ses effets
Observé ses reflets

Elle n'existe pas en fait
N'a rien de concret
Comme la haine, la torpeur
Ou l'amour, le bonheur

Elle éclôt par habitude
Tout dépend de l'attitude
Son essence est irréelle
Son existence conceptuelle

Elle n'est rien en soi
Tel un dieu auquel on croit
Elle se forme dans la pensée
De qui s'en imagine accablé

C'est comme une qualité
Un trait de celui qui l'a
Telle une idée inventée
Un démon créé comme ça

Le Misérable est bâtisseur
De son odieuse Misère
Il se croit victime de l'heure
Car il n'y voit clair

Ce démon de la psyché
Le détruit sans pitié
Il est tout aussi puissant
Qu'inexistant

Du mental de qui te fuit
Ton image jaillit
Tu provoques des visions
Générant l'autodestruction

Misère, je t'ai trouvée
Misère, tu n'es pas
Misère, je ne t'aurai jamais
Car, Misère, je t'ai aimée
Eurêka !

Noces sacrées

De cette incarnation, Pauline et moi nous connaissons depuis quelques semaines seulement. Dès les premiers instants il y eut reconnaissance de part et d'autre. Quelque chose vibrait en nos cœurs avec intensité. Cela émergeait des profondeurs de nos êtres.

À cette époque, j'étais retourné vivre chez mes parents depuis presque un an. Pauline vivait à plus de deux cents kilomètres de là avec un conjoint et trois enfants. On souhaitait se revoir dès que possible. Je partais le lendemain pour trois semaines à l'extérieur.

À mon retour nous fixions une rencontre chez mes parents. Les jours suivants, nous nous promenions en forêt, sur le bord des lacs et des ruisseaux et échangions beaucoup en silence.

Nous parlions des nuits durant, mangions très peu et nous sentions continuellement pleins d'entrain, bien éveillés et lucides. La fatigue ne nous gagnait point.

Noces sacrées relate cette deuxième rencontre de trois jours. Peut-être ce texte vous parlera-t-il, vous fera vibrer au diapason avec notre expérience.

José Manuel

Chaque relation est une rencontre d'âmes venues partager un bout de vie, s'entraider dans leur évolution.

Toutes les personnes croisées sur notre chemin sont des reflets de nous-même plus ou moins avoués… souvent nettement niés !

Dès le début, il était clair pour José et moi que nos routes s'étaient unies pour défaire de vieux nœuds ancrés depuis longtemps dans nos êtres et ainsi aller de l'avant.

Les semaines et les mois qui ont suivi ont vu s'accélérer les évènements. Malgré toutes mes résistances et mes incompréhensions, j'étais mue par un moteur puissant et une Foi profonde.

À travers **Noces sacrées**, puissiez-vous partager ce Feu de Vie qui nous animait à franchir la brousse intérieure qui nous isole de la Joie.

Pauline

DUO :

Noces sacrées

1 – Les préparatifs

Dans la nuit noire
Nous sommes partis
Au fond de nos puits
On s'est laissé choir

Au bord de l'eau
On s'est arrêté
On s'est imprégné
On a changé de niveau

À la montagne
On a été conduits
Pas à pas, on l'a gravie
Pour y recevoir le champagne

Là, sous le vent chaud
Nous avons pressenti
Quelque chose de Beau
Nous avons ressenti

Aux petites heures
Nous sommes repartis
La forêt, la pluie
Nous ont imbibés de Bonheur

Nos âmes se laissent guider
Par la Claire Lumière
Nous continuons de cheminer
Sans regarder en arrière

Arrivent la tempête
Le grésil, le vent, le froid
La nature s'en donne à cœur joie
C'est l'excitation de la Grande Fête

À l'abri, près d'un ruisseau
Le calme revient à nouveau
Des profondeurs de l'Infini
Nos regards s'intensifient

Moments sublimes
Moments intenses
La Vie s'anime
La Vie s'élance

Retours dans l'abîme de l'illusion
Avec un regard de compassion
Nos tréfonds meurtris s'évanouissent
Paix et Amour jaillissent

Nos âmes se libèrent
Des agressions du passé
Le soleil à nouveau éclaire
Le Grand Jour s'est levé
Les Noces sont annoncées

2 – *Jour de Noces*

Jour de Noces
Jour de Célébrations
De Rencontre, de Fusion
D'Union avec le Cosmos

Le chemin nuptial s'amorce
Sous un rayonnement intense
Qui fait sauter les écorces
Et redonne à l'Amour son Sens

La nature nous accueille ici
Parée de ses plus beaux atours
Soulignant ce prélude à l'Amour
Avec emphase et harmonie

Tapis blanc, pur, immaculé
Confettis par millions
La Lumière déborde de gaieté
Bienvenue à cette Célébration

Gnomes, sylphes, lutins
Nous accompagnaient
La foule chantait, dansait
Avec enthousiasme et entrain

Ils étaient là juste pour dire
Devant les marches sacrées
Que nous allions gravir
Allez, montez jusqu'au sommet !

Nous sommes reconnaissants
De ce tendre déploiement
Le temps se dissout
L'Univers s'ouvre à nous

Cette Céleste Randonnée
En ce Joyau inestimable
Nous a illuminés
D'inexprimable

Au Plateau des anges[1]
Le Souffle de Vie
Amène des regards infinis
Notre vision change

On s'élève toujours
Un peu plus haut
Vers le sommet du jour
Bien au-dessus des eaux

Les limites explosent
L'Union s'intensifie
Hymne à la Vie
À ceux qui osent

Le sommet atteint
C'est l'apothéose
La Célébration grandiose
Le Mariage d'Amour sacré
La fusion des âmes pour l'Éternité

---

1   Promontoir du mont Girard.

Cadeau de Noël

Cadeau de Noël relate mon réveil en pleine nuit, habité par un message clair et précis, *Je serai père et tu seras mère.* Suivent les joies et les tribulations qui en découlèrent. Dans un premier temps je fus émerveillé par la nouvelle et m'empressai de me lever pour la jeter sur papier. Elle me vint aussitôt en vers. Les questionnements qui surgirent à la rédaction se dissipèrent rapidement. J'étais dans un état que rien ne pouvait ébranler.

Pauline arrivait le lendemain. À l'idée de lui présenter *Cadeau de Noël*, je fus envahi d'un sentiment de doute de plus en plus prenant et inconfortable. La peur montait en moi faisant revenir à la surface les interrogations précédemment envolées. Je craignais sa réaction à la lecture du texte.

La situation me devenait intenable. Je partis en ski, ce qui m'apaisa partiellement. Au prix d'un réel effort mais entraîné par un souffle plus puissant que moi, je remis *Cadeau de Noël* à Pauline dès son arrivée.

José Manuel

En ce Noël 1995, je perçus que la naissance du Christ cachait un sens profond. Cette naissance devait avoir lieu en soi. À la lecture de *Cadeau de Noël* je reconnus cette signification profonde, sauf que… ma pensée s'emballa !

Je craignais d'entreprendre une nouvelle relation et l'éventualité d'une grossesse. Ce fut mon premier niveau de compréhension du texte. Dans un deuxième temps, je vis que la réalisation d'un projet commun pouvait représenter l'enfant à naître.

Après les sens concret et symbolique de *Cadeau de Noël* vint sa signification profonde. L'enfant à mettre au monde serait-il en soi ? Je retrouvai alors le sens premier que la fête de Noël m'avait précédemment inspirée.

Cette troisième compréhension fit surgir en moi une force puissante. Avec Foi, je m'y abandonnai et entrepris des changements majeurs dans ma vie.

Pauline

Nous comprenions alors que chacun de nous aiderait l'autre à accoucher de lui-même. Notre relation permettrait de dépasser, en conscience, les archétypes de la dualiste et confrontante relation homme-femme. Le dépassement de cette communément déchirante relation devait passer par la résolution de notre première relation homme-femme, c'est-à-dire la relation père-fille ou mère-fils. C'est là la signification des *Je serai père* et *Tu seras la mère*.

L'un pour l'autre, nous jouerions les rôles de père et mère, se faisant revivre mutuellement des évènements passés, émotionnellement bloqués, liés à la dualiste et déchirante relation parent-enfant. Abordées en conscience, ces situations passées offriraient une opportunité de compréhension, d'ouverture, de pardon et de guérison.

Mais là ne s'arrêtait pas pour nous le message de *Cadeau de Noël*. Ultimement, la relation homme-femme puis parent-enfant nous conduiraient au cœur de nous-même, où sied la dualiste et duelliste relation entre nos polarités. Celles-ci sont imagées, selon différentes traditions, par les pôles *homme-femme* ou Adam-Ève chez les catholiques, *yang-yin* ou masculin-féminin chez les taoïstes, et *yab-yum* ou père-mère chez les bouddhistes.

Donc, par la résolution des vieux conflits engrammés depuis des âges, les pôles s'équilibrent, s'harmonisent. Ainsi, nous mettons fin simultanément aux singuliers combats entrepris continuellement autour de nous puisque notre condition à l'extérieur reflète notre condition intérieure. Nous devenons alors aptes à établir des relations authentiques, exemptes de dépendances.

Cadeau de Noël offre un message de Foi en Ce qui nous guide intérieurement. Malgré notre incurable et désolante incompréhension en ce Guide, apprenons à l'écouter vraiment. Puisse notre expérience vous faire écho.

DUO :

Cadeau de Noël

1 – À l'Humanité

Jour de Noël, trois heures
Je m'éveille… une lueur
Un Message
Des Rois mages

C'est clair
C'est précis
Je serai père
C'est inscrit

Le moment est arrivé
D'offrir l'opportunité
À un être de Lumière
De venir sur terre

Cet Enfant solaire
Sera un cadeau béni
Tu seras la mère
Nous lui donnerons Vie

Tout ce qu'on sème
Autour de soi, à tous vents
C'est par l'Amour qui nous mène
À construire l'évènement

Tout ce qu'on s'Aime
Au fond de soi, au dedans
C'est par l'Amour qui nous mène
À engendrer cet Enfant

Le Divin nous appelle
Sur la voie de l'Amour
À manifester avec Foi
L'accomplissement sacré
De Sa volonté

2 – Ensemble

J'avoue ma surprise
Cette annonce inattendue
Quoique incomprise
Est déjà reçue

Au fond de mon cœur
Je me sens concerné
La nouvelle est acceptée
Avec grand bonheur

Elle m'émerveille
Je l'accueille pleinement
La fait mienne à l'instant
Dans une joie sans pareil

Depuis 66 jours
Avec Amour
On prépare l'évènement
Sans en être conscients

La *pensée du jour*[1]
Confirme ce qui Était
Le mental fait un tour
Le doute suit de près

Mille questions
Issues des émotions
Amènent l'incertitude
Et ses vicissitudes

---

1   La pensée du 25 décembre du livre *Pensées quotidiennes*, 1995
     de O.M. Aïvanhov.

Je me dis entre autres
Elle a mari, enfants
Que penseront les autres ?...
Ce n'est pas important

Que diront mes parents ?
Que diront mes amis ?...
Leurs multiples avis
Ne seront que vent

Où allons-nous vivre ?
Avec quoi élever les enfants ?...
Rien à dire
Chaque chose en son temps

Va-t-elle entendre ?
Cet écho, l'a-t-elle eu ?
Va-t-elle comprendre ?...
Je me suis tu

Ces interrogations
Fruits de l'illusion
Perdent leur emprise
Se volatilisent

Habités par la Foi
Marchons ensemble
Suivons la Voie
Que trace et illumine
La Volonté divine

PARTIE VII

Appels de la Mémoire

Aie Foi en Sa Voie

Vie après vie
Le connu se répète
Sauf si tu décrètes
Que cela suffit

L'HOMME LIBRE et l'homme libre

Il y a de nombreuses années, j'entendais aux nouvelles télévisées l'histoire d'un homme enfermé en prison durant une semaine ou deux pour son refus de payer ses impôts. Derrière les barreaux, il se disait libre. *Je ne veux pas payer d'impôts, je n'en paye pas… Je suis libre !* proclamait-il. Ce bref reportage est resté gravé dans ma mémoire des années durant. Un soir que je me reposais je repense à cette histoire. Je m'enferme subitement dans ma chambre et m'installe au bureau, il est vingt heures. La plume parvient de justesse à transcrire le récit qui jaillit de mon intérieur. J'écris d'un trait *L'HOMME LIBRE et l'homme libre*. Je me fonds avec chaque personnage et fais un avec eux à tour de rôle. Je comprends leurs souffrances, vibre à leur état d'âme et reste parfaitement serein au cours de cette composition. La fatigue monte mais j'ai hâte de connaitre la fin de l'histoire. Je ne veux pas arrêter. Je termine vers deux heures. Je me couche, intrigué par ce premier conte rédigé.

Un an plus tard, nous sommes à table chez mes parents. Ma mère raconte une fois de plus qu'enfant, j'avais peur dans une petite chambre sans fenêtre où elle me couchait durant la saison hivernale. J'y voyais des sorcières et n'arrivais pas à m'endormir.

À l'instant où Pauline remarque que cette chambre ressemble à un cachot, je me vois enchaîné à un mur comme dans le conte. Immédiatement après le repas je me retire dans ma chambre et me laisse aller à cette image survenue plus tôt. Je revis physiquement l'évènement. Je suis pieds et mains liés, tendu à l'extrême. Je suis incapable de bouger quelque partie de mon corps, mis à part la tête. Les muscles sont crispés solidement, durs comme la pierre.

J'y vois une conséquence, à l'époque de cette existence passée, d'avoir utilisé mes mains d'une façon jugée inopportune. Je comprends aussi comment je me suis coupé de l'utilisation de celles-ci jusqu'à ce jour. Je reprends contact avec elles pour enfin exprimer ce que je ressentais en moi depuis des années : guérir par l'imposition des mains. Pauline vit des choses intenses aussi dans la chambre voisine. Je la rejoins et pose mes mains sur elle. Ce fut le début de ce que je pressentais depuis si longtemps.

José Manuel

La lecture de **L'HOMME LIBRE et *l'homme libre*** peut s'avérer troublante et, par moments, faire frissonner. Peut-être s'agit-il d'un appel de la Mémoire !

Dans nos cheminements personnels, José et moi, avons souvent fait référence à ces expériences du passé, y voyant des liens avec le présent.

Ce récit interpelle notre cohérence entre nos paroles et nos gestes. Peut-être vous interrogera-t-il sur ce que représente pour vous la liberté. Comment peut-on être à la fois enchaîné et libre ? Quelle partie de soi est libre et laquelle est enchaînée ? Jusqu'où sommes-nous prêt à aller pour proclamer notre vérité ? Chacune de ces questions pourra vous en apprendre un peu plus sur vous-même.

L'HOMME LIBRE et *l'homme libre* s'adresse particulièrement à vous qui hésitez à exprimer qui vous êtes, à vous qui vous vous sentez brimé. Qu'un souffle de Liberté vous enveloppe à travers ces pages !

Pauline

L'HOMME LIBRE et l'homme libre

C'ÉTAIT DANS UN VASTE ROYAUME aux fortifications infranchissables et indestructibles. Là, dans un immense château tout de pierres construit, deux hommes souffraient le martyre dans leur corps et dans leur âme.

Contre un mur froid et humide, dans une petite pièce pleine d'immondices avec, comme seul éclairage, une étroite fente vers l'extérieur, deux hommes étaient accrochés. Des anneaux de fer aux poignets, reliés à une grosse chaîne rouillée, les tenaient suspendus au plafond, provoquant une terrible dislocation aux épaules. D'autres anneaux aux chevilles, fixés à deux lourds boulets, empêchaient tout mouvement du corps et accentuaient l'insupportable tension aux articulations. Seule la tête pouvait bouger.

Ils ne provenaient de ce royaume mais d'une contrée inconnue du peuple de cette nouvelle terre qu'ils foulaient. Ils étaient de passage, en visite. Ces hommes arrivaient de très loin, avaient marché de nombreuses semaines par monts et par vaux.

Ils étaient venus annoncer une nouvelle d'importance majeure. Ils firent état de leur grande découverte aux sujets du roi lors d'un long discours sur la grande place. Ils y révélèrent une Grande Vérité bouleversant les conceptions établies de l'époque. Mais celle-ci n'avait pas plu au roi.

Faute de s'excuser de leurs soi-disant médisances, faute de vouloir retirer leurs infâmes paroles, leur châtiment se prolongeait.

Ils pâtissaient là depuis plusieurs jours, sans rien boire ni manger, s'abreuvant de l'humidité suintant du mur. Leurs corps nus étaient transis.

Tous les jours le bourreau du roi venait. D'une voix froide et vide, il répétait :

« Consentez-vous à vous excuser auprès du Vénéré Roi ?

Consentez-vous à retirer vos paroles mensongères, belliqueuses et irrespectueuses envers le Vénéré Roi ?

— Non, dit l'un des châtiés.

— Non, renchérit l'autre. »

Après vingt et un jours de jeûne et d'atroces souffrances, les deux hommes languissaient vers l'agonie. Le bourreau du roi revint comme d'habitude.

« Consentez-vous à vous excuser auprès du Vénéré Roi ? Consentez-vous à retirer vos paroles mensongères, belliqueuses et irrespectueuses envers le Vénéré Roi ?

— Non, dit le premier. »

Le deuxième hésita…

Soudainement, dans un bref regain d'énergie, il lança d'un ton désespéré :

« Délivrez-moi ! Je vous en supplie, sortez-moi de cette infâme cellule… je ferai tout ce que le roi demande. Pour l'amour du ciel, délivrez-moi, je n'en peux plus ! »

Sans un mot ni même une expression au visage, le bourreau du roi fit demi-tour et s'en alla.

L'homme pleurait, gémissait et continuait de supplier qu'on le délivre. Il s'accusait de tous les torts et se soumettait à toutes les volontés du roi qu'il pouvait s'imaginer.

Le bourreau du roi revint le lendemain comme de coutume. Ce jour là, il portait masse et tige de fer au bras.

Sans prendre garde à l'homme, le bourreau du roi, de ses rustres outils, fit sauter les anneaux de fer du repenti. Il lui en broya les poignets et les chevilles sans frémir alors que le pauvre homme ne cessait de psalmodier la bonté du roi au travers de hurlements faisant foi de l'insupportable douleur qu'il subissait froidement. La souffrance fut si intense qu'il n'eut le temps que de souffler un sourd *Je suis libre !* avant de perdre conscience.

Puis le bourreau du roi répéta machinalement à l'autre homme :

« Consentez-vous à vous excuser auprès du Vénéré Roi ? Consentez-vous à retirer vos paroles mensongères, belliqueuses et irrespectueuses envers le Vénéré Roi ? »

D'une voix faible mais déterminée, l'homme répondit Non. Alors, le bourreau du roi se retourna puis se pencha pour saisir la chevelure de l'homme inconscient libéré de ses liens afin de le tirer hors de la cellule. L'homme encore prisonnier de ses anneaux de fer, épris d'une profonde émotion pour son compagnon, pria pour lui.

Beaucoup plus tard, l'homme, se croyant libéré, reprit conscience. Il gisait sur le sol d'une petite cellule, baignant dans son sang. Des rats avides mangeaient goulûment dans ses plaies purulentes. La terreur s'empara de lui et il hurla d'une voix déchirée.

Les rats, troublés dans leur festin, s'éloignèrent de l'homme. Craintifs, ils gardèrent une distance respectable tentant d'évaluer la situation. Lorsque l'un d'eux risqua de s'approcher à nouveau de la chair fraîche, un cri démoniaque retentit.

Mais, peu à peu, les rats s'avançaient constatant que les cris entendus ne constituaient pas une menace sérieuse.

Voyant ces terribles bêtes se rapprocher de ses pieds malgré ses cris désespérés, l'homme terrorisé se senti défaillir. L'idée de se faire dévorer vivant le tyrannisait, l'ahurissait. Au summum de sa détresse, un vent de rage l'envahit, des convulsions secouèrent son corps meurtri. Ses dernières forces se regroupèrent et, dans un élan inouï, il se jeta violemment sur le côté tel un éclair. Du sang chaud gicla dans sa bouche déshydratée. Il venait de mordre le cou d'un rat qu'il dévora tout entier.

Effrayés, les rats disparurent comme les étincelles sur l'eau. Cela ranima l'homme instantanément. Il se sentit fort et glorieux de s'être sorti victorieusement du pétrin.

Il repensa à son pauvre compagnon encore enchaîné dans sa cellule infâme. Je suis libre maintenant ! se répéta-t-il inlassablement.

Il suffit de dire ce que le roi veut entendre, pensa-t-il, pour être libre et avoir tout ce que l'on veut. Il ne comprit pas comment il avait pu répéter ce *Non* fatidique durant trois longues semaines.

Il méprisa son ancienne attitude et se reprocha sévèrement d'avoir soutenu avec conviction des idées incompatibles avec la pensée du roi. Il en vint même à haïr l'homme, son camarade de longue date, avec qui il avait eu tant d'affinités qu'il s'en était rendu à s'allier à lui contre la volonté du roi. Il se dit que ce camarade déchu était stupide et qu'il ne méritait pas mieux que de rester attaché à ses lourdes chaînes jusqu'à y crever de faim ou de froid.

J'ai dit oui et me voilà libre ! se répéta-t-il avec un éclair de vitalité émergeant des profondeurs de son être.

Il regarda autour de lui, dans la petite pièce où il gisait. Elle s'avérait en tout point semblable à celle où agonisait son cancre d'ex-compagnon.

Quand je sortirai de cette cellule, se dit-il, que j'aurai offert mes sincères excuses au roi et retiré mes honteuses paroles, je serai vraiment libre, libre comme l'air !

Au même moment, il entendit des pas arriver au loin. Le madrier fut retiré bruyamment de derrière la porte de sa cellule. Un grincement lugubre emplit la pièce. Le bourreau du roi entra accompagné de deux esclaves.

« Es-tu certain de vouloir t'excuser auprès du Vénéré Roi et de retirer tes paroles outrancières ? dit le bourreau.

— Oui, je le veux sincèrement. J'ai pris conscience de la nature diabolique de mes propos et m'en repentis sans cesse depuis répondit l'homme d'un ton suppliant.

Puisse le Vénéré Roi Tout Puissant vouloir m'entendre, je réparerai ma faute… au centuple s'il le faut. »

Le bourreau du roi fit un signe à ses esclaves et ceux-ci enchaînèrent les pieds meurtris et putréfiés de l'homme partiellement déchiqueté par les rats et le traînèrent hors de la cellule. Malgré les douleurs aiguës provoquées par les chaînes rouillées frottant ses plaie purulentes, lorsque l'homme vit le linteau de la porte au dessus de lui, il sentit une libération suave l'envahir.

Me voilà enfin presque libre ! soupira-t-il d'un ton soulagé. On le fit descendre de longs escaliers de pierres angu-leuses. Sa tête se fracassait de façon rythmée et résonnait en lui un son amplifié de faïence fêlée. Il perdit connaissance. Du bout de sa chaîne meurtrissante, son compagnon eut l'attention retenue par des cris retentissant à l'extérieur. Deux hommes en tirant un autre par les pieds traversaient une cohue de gens agités. La foule poussait des cris de folie déli-rants et lançait des pierres sur le corps décharné d'un homme nu ou le ruait de coups de bâton.

Il reconnut le profil ébouriffé de son compagnon. Épris d'une intense compassion, il pria longuement pour lui et pour tous les autres le mutilant.

Lorsqu'il rouvrit les yeux, l'homme déboussolé vit le visage impassible du bourreau du roi qui scrutait son corps. Il se sentait froid et humide.

« Ça va, dit le bourreau aux esclaves.

Un dernier seau d'eau et il sera suffisamment propre pour rencontrer le Vénéré Roi. »

Sitôt, une eau glacée dévala en torrent sur le corps défait de l'homme.

Les deux esclaves reprirent les chaînes et le traînèrent jus-qu'au jardin fleuri du roi. Son corps estropié s'immobilisa sur une jolie terrasse d'ardoises noires. La pierre, devenue brû-lante sous l'action intense des rayons du soleil de quatorze heures, le fit se crisper. Il tentait désespérément d'éviter la dou-leur vive qu'elle occasionna sur son corps harcelé d'incessantes agressions. Il y resta très longtemps sous la garde des deux esclaves s'étant assis à l'ombre.

« J'ai quitté mes pénibles chaînes puis ma sordide cellule, se dit-il.

Sous peu le roi viendra, je lui expliquerai tout, me repen-tirai avec éloquence, m'excuserai inlassablement et retirerai avec conviction mes paroles insolentes. Là, à cet instant, tout sera fini… je serai enfin libre comme avant ! »

Un sourire souffrant s'esquissa sur son visage.

Qu'est-ce qui t'amuse comme ça ? lui lança d'un ton accusateur la forte voix du roi venant tout juste d'arriver.

Surpris, l'homme gisant au sol quitta ses rêveries d'un avenir meilleur et ouvrit les yeux. Il aperçut au dessus de lui le regard hargneux de l'imposant roi. Il ne sut que répondre.

« Qu'as-tu à me dire sale créature ?

Et puis, comment oses-tu venir me rencontrer, moi le Roi Tout Puissant du Royaume, nu comme tu es et couvert de plaies nauséabondes ? N'as-tu pas plus de respect pour le Vénéré Roi ?

Compte-toi chanceux que je me sois déplacé pour t'écouter mais dépêche-toi car j'ai bien d'autres choses à faire que de sentir la puanteur venimeuse que tu dégages et de contempler ton corps écœurant telle une vomissure.

Vas-y, sale crapule, dis-moi ce qui t'amène dans mon jardin avant que je m'en aille.

— Ô Vénéré Roi Tout Puissant, sachez que je suis plein d'admiration pour Sa Majesté et que je m'incline humblement devant elle. »

D'un geste lent et pénible, l'homme se retourna, se hissa douloureusement sur ses genoux et, se prosternant devant le roi, continua.

« Sa Majesté le Roi Tout Puissant du Royaume divin, veuillez être indulgent en regard de ma tenue irrespectueuse. Je ne voudrais d'aucune manière vous offenser mais je n'ai rien à me mettre sur le dos…

— Ne m'as-tu sauvagement dérangé que pour me chanter ces sornettes pauvre idiot ?

Tu ne mérites que d'être châtié sévèrement sur-le-champ ! »

Le roi fit signe au bourreau à son côté et il sévit immédiatement contre le pauvre homme de nombreux coups de fouet.

« Ô Sa Majesté, je vous en supplie, écoutez-moi. Je suis venu ici pour m'excuser de tous les torts causés par mon discours déraisonné.

Donnez-moi la grâce un instant que je vous explique tout, je me suis repenti. »

Pendant que l'homme déchiré récitait avec éloquence ses supplications au roi malgré les mordants coups de fouet sur son échine, le roi regardait la scène d'un air amusé. Il refit signe à son bourreau qui s'arrêta progressivement et conclut sarcastiquement :

« Voilà qui est mieux petite ordure... Tu t'es repenti disais-tu ?

— Oui, ô Vénéré Roi Tout Puissant du Fabuleux Royaume divin, j'ai pris conscience de mes terribles fautes et m'en suis profondément repenti. J'avoue humblement l'absurdité du langage que j'ai auparavant déraisonnablement soutenu et admets honteusement les conséquences fâcheuses qui ont pu vous brimer si injustement.

Ô Sa Toute Puissante Majesté vénérée qui règne sur le Fabuleux Royaume divin aux Multiples Joyaux célestes, je suis venu ici pour retirer mes infâmes et déloyales paroles jusqu'à la fin des temps.

Je vous en prie, accordez-moi le pardon !

Je désire devenir un honorable sujet de Sa Toute Puissante et Rayonnante Majesté vénérée régnant sur le Fabuleux Royaume divin aux Multiples Joyaux célestes. Je désire au plus profond de mon âme réparer ma grossière et impardonnable faute. Pour ce faire, je suis immédiatement prêt à réaliser toutes Ses volontés, quelles qu'elles soient.

Je vous en prie, je vous en supplie, pardonnez-moi !

— Ton discours est éloquent pauvre crétin, répondit le roi d'un ton méprisant.

Que peux-tu faire pour moi si tes pieds ne peuvent même plus marcher ni tes mains travailler ? Tu ne m'es d'aucune utilité ici. Te garder ne constituerait qu'un lourd fardeau pour le Prestigieux Royaume et qu'une dérision aux yeux de mes honnêtes sujets ou de mes nobles visiteurs.

Que peux-tu m'offrir d'autre que ta dépravée carcasse ? dit-il en terminant d'un air dégoûté.

— Ô Sa Toute Puissante et Rayonnante Majesté vénérée par tous Ses honnêtes sujets et Ses nobles visiteurs, je sais que je ne puis faire grand-chose pour le Fabuleux Royaume divin aux Multiples Joyaux célestes où vous régnez si brillamment. Cependant...»

L'homme en détresse se creusa rapidement la tête cherchant, en désespoir de cause, une proposition valable à présenter au roi pour enfin recouvrer sa liberté.

« Cependant, Sa Majesté, il y a quelque chose que je puis faire pour réparer ma faute et ainsi éliminer toutes souillures à Son Royaume subséquentes à ma bévue et celle de l'autre homme qui m'accompagnait lors de ce terrible méfait.

En échange de ma libre circulation et d'un peu de nourriture, je m'engage solennellement à convaincre l'homme qui fut châtié en même temps que moi à vous porter ses excuses pour les disgrâces qu'il a causées et à retirer ses infâmes paroles portant atteinte à Sa Sainte Dignité.

Cela rétablira l'image d'unité et d'harmonie de Son Fabuleux Royaume divin aux Multiples Joyaux célestes aux yeux de tous Ses honnêtes sujets et tous Ses nobles visiteurs qui Le vénèrent.

Si ce marché vous convient, donnez-moi trois jours pour ce faire. Je réussirai !

— Soit, dit le roi d'un air cynique. »

Après un instant de réflexion, il ajouta d'un ton sans appel :

« Si tu échoues, tu seras châtié à mort sur le bûcher avec ton confrère. Une seule journée te suffira à partir de maintenant.

Va et ne m'embête plus. »

On sortit du jardin l'homme au corps démoli comme il y était entré puis on le délivra de ses chaînes non loin de là. Peu après, de la fenêtre du second étage, une main lui lança des morceaux de pain rassis et quelques pommes de terres moisies.

L'homme affamé, ne pouvant porter la nourriture à sa bouche, dévora rapidement le tout telle une bête. Il avança péniblement à genoux vers une fontaine, se maintenant le corps relevé à l'aide de ses coudes. Il s'y hissa difficilement échappant des rugissements de douleur puis s'y abreuva. Le reflet sur l'eau de son visage boursouflé lui parut monstrueux. Cette image le découragea profondément.

Il se mit à penser à son ex-camarade enchaîné et cela lui redonna un sentiment de liberté accompagné d'un nouvel élan de courage. Il se dit qu'il serait facile de convaincre l'agonisant en témoignant de sa liberté adroitement récupérée.

Des enfants autour de lui se moquaient allègrement de sa nudité et l'insultaient sans relâche. Soudain, les enfants se dispersèrent rapidement en courant et en poussant des cris stridents. Une vieille femme arriva d'un pas assuré mais léger et discret. Ses yeux étaient emplis d'une débordante bonté.

« On ne doit pas me voir avec toi, dit-elle.

Cachons-nous derrière ce mur. »

Malgré son âge avancé, elle souleva l'homme estropié sans aucun effort apparent. Elle le déposa délicatement sur une couverture déjà étendue sur le sol. Un jeune enfant était là, silencieux, il accompagnait la vieille femme.

Cette femme apparue comme par enchantement, sortit de son baluchon de longues bandes de tissus. Elle pansa minutieusement les nombreuses plaies de l'homme ébahi après les avoir complètement recouvert de feuilles fraîches tirées d'un sac tenu par l'enfant. Puis elle habilla l'homme resté muet de chauds vêtements. Rompant le silence, la vieille femme, en lui posant un sac à bandoulière sur les genoux, lui dit de sa douce voix :

« Je dois maintenant partir. Que Dieu te guide et te protège mon frère. »

L'enfant esquissa un sourire furtif au macchabée avant de suivre la femme. Il faisait déjà tard, ils disparurent rapidement dans la nuit. L'homme, bouleversé par ce qui venait de lui arriver, s'endormit malgré tout tant il était épuisé.

Le matin, il se réveilla confus. Il fouilla dans le petit sac et y trouva un peu de nourriture et une poignée d'herbes fraîches. Il mangea un peu. L'homme restait stupéfait de la gentillesse et du dévouement de la vieille inconnue arrivée de nulle part.

Pourquoi a-t-elle bien pu faire ça pour moi au risque de se voir châtiée par le roi ? murmura-t-il.

Il en était totalement mystifié. Aider un condamné du Royaume c'est en devenir complice et risquer de sévères réprimandes.

L'homme avait une tâche à accomplir qu'il s'était lui même fixée. Fort de ses bandages, il entreprit de se rendre à quatre pattes jusqu'à la cellule où dépérissait son ex-camarade et où il avait lui-même été séquestré. Cet homme, encore enfermé et affaibli par le long châtiment, était devenu son unique porte de salut. Il espérait le revoir ni mort ni inconscient afin de pouvoir le convaincre de rejoindre ses rangs.

Il arriva épuisé à l'étroite fenêtre de la sordide cellule. Elle s'avérait trop haute pour qu'il puisse y voir à l'intérieur. Après un moment, ayant partiellement repris son calme et son souffle, il s'écria d'un ton triomphant :

« Frère, ô mon bien aimé frère, c'est moi qui te parle.

Je suis libre… je viens te libérer !

M'entends-tu mon frère ? Réponds-moi ! »

Une voix sourde et lointaine répondit :

« Je t'entends cher frère, que t'arrive-t-il ? Raconte-moi la bonne nouvelle !

— Je suis allé voir le roi, expliqua-t-il.

J'ai retiré mes paroles puis demandé pardon. Je suis maintenant libre, comme tu peux le constater. Je fais ce que je veux, je suis complètement libre et heureux comme je l'étais auparavant.

Ô mon très cher frère, je t'en supplie, fais comme moi, cesse d'être stupide et entêté comme je l'ai été si longtemps. Dis au bourreau qui reviendra te voir aujourd'hui que tu désires sincèrement retirer tes sottes et blasphématoires paroles et demander humblement le pardon.

Ne sois pas idiot ni orgueilleux, mon frère chéri de longue date. Viens me rejoindre et nous serons à nouveau libres, les deux ensemble comme avant. Je t'en prie écoute-moi !

— Non, mon frère, ce que nous avons dit est la Vérité n'en déplaise au roi. Elle seule mérite que nous la suivions et la divulguions. Je ne pourrai la trahir d'aucune façon, quelles qu'en soient les conséquences. Là réside ma liberté.

— Tu n'es point libre mon frère bien-aimé, ne sois pas aveugle ni déraisonnable.

Tu es attaché dans cette infâme et sordide cellule sans rien manger depuis déjà plus de trois semaines. Transi par le froid et l'humidité, tiraillé par la faim, tu agonises péniblement vers une mort certaine. Tu souffres atrocement tous les jours, toutes les nuits, sans arrêt.

Ce n'est pas nécessaire, crois-moi ! Tu peux t'en sortir honorablement, je te le dis. Fais comme moi, c'est si simple ! Il suffit d'un peu de courage au début et après tout est fini, c'est la liberté !

Ton jeu ne mène nulle part, ne rime à rien. Abandonne dès aujourd'hui mon frère et nous serons libres les deux comme hier. Tu ne peux refuser…

— Mon pauvre frère, si tu crois avoir la liberté, tu devras continuer ton chemin sans moi. Je ne peux rien faire pour toi. Seule ton expérience sur le chemin de la vie pourra te faire comprendre. Va au bout du domaine où tu te dis libre et tu verras qu'il y a encore un mur, une limite au delà de laquelle il ne t'est permis d'aller.

Ta prison est peut-être dorée mais elle reste une prison où tu es enfermé et où tu ne peux même pas penser comme tu le veux; une prison où la Vérité est exclue jusque dans ta pensée.

Lorsqu'on t'a libéré de tes chaînes et que tu es tombé du mur à côté de moi, la prison de ton corps s'est agrandie. Elle est passée d'un pan de mur humide où tu souffrais le martyre et où tu ne pouvais faire un mouvement si ce n'était que de la tête, à une cellule entière.

Dès cet instant, la prison de ton esprit s'est resserrée radicalement et impitoyablement. Tu as dû renier la Vérité profonde en laquelle tu croyais fermement car tu Savais qu'elle était Juste. Tu as trahi la Grande Vérité et tu n'as plus le droit d'y croire maintenant, ni même d'y penser. »

Le temps passait et les deux hommes discutaient sans qu'aucun ne puisse convaincre l'autre de la justesse de sa vision de la liberté. Dans un dernier espoir, l'homme, parlant du dehors, se fit plus honnête et plus transparent. »

« Ô mon frère, je vais tout te dire, tout t'expliquer. J'ai tant souffert à tes côtés, pendu au mur froid et humide, que j'ai tout fait pour y échapper. Je sais que nous avions la Vérité et que nous l'avons encore.

Un simple mensonge peut nous redonner la liberté mais cela ne nous empêche pas de penser comme avant. Nous pouvons dire au roi une chose et en croire une autre. Si cela nous permet de continuer à vivre, ce n'est pas grave.

Tu sais, ô mon frère, mon frère chéri de tout mon cœur, j'ai dû promettre quelque chose au roi pour qu'il me délivre de mes liens. Je suis mutilé des mains et des pieds, je ne peux ni marcher ni travailler ô mon frère. Je me déplace difficilement à quatre pattes. Je ne puis que penser et parler.

J'ai donc…

Pardonne-moi ô mon frère de route, mon frère de longue date avec qui j'ai parcouru monts et vaux à la recherche de la Vérité…

J'ai donc dit au roi que je te convaincrai de retirer tes paroles qui t'ont mené là où tu péris maintenant et de lui demander le pardon. Le roi aurait ainsi l'esprit tranquille et nous serions libres tous les deux.

Je t'en supplie de toutes mes dernières forces… fais ce que je te demande. Si ce n'est pour toi fais-le au moins pour sauver ton frère ! Pour l'Amour du Ciel et de tous les Saints, fais quelque chose avant que nous passions les deux sur le bûcher…

— Ô mon frère, ta prison est pire que je ne me l'imaginais. Non seulement tu ne peux plus marcher ni travailler mais tu ne peux même plus penser. Tu ne peux ni exprimer la Vérité que nous avons découverte ensemble ni même la laisser traverser ton esprit. Car, si tu la laisses revenir en toi, la honte de la

trahison t'envahira. Tu t'es trahi toi-même et n'as plus maintenant aucune Vérité en ton cœur.

Tu as pris un engagement envers le roi nécessitant que je
me trahisse comme tu l'as fait et que j'annihile la Force de cette
vérité que nous connaissons et qui fait très peur au roi. Par la
même occasion, tu m'as trahi moi ton frère de longue date et
tu tentes maintenant de me corrompre.

Cela s'avère impossible, je ne peux te suivre hors de
l'Unique Chemin valable, celui de la Grande Vérité.

Sais-tu, ô mon cher frère, que tu as perdu toute la Liberté
et que tu vas mourir comme moi ? Je reste cependant l'esprit et
l'âme Libres et c'est la seule chose importante puisque le corps
est éphémère.

Ô mon frère bien-aimé, je prierai pour toi, pour ta délivrance mais sache que si on renie la Vérité après qu'elle nous
ait été révélée, la rédemption devient beaucoup plus difficile et
plus pénible.

Pour ma part, je suis libre comme l'air au bout de ma
chaîne. Personne ne peut m'empêcher de penser ou de proclamer quoi que ce soit. Ni le roi ni personne n'a d'emprise sur
moi. Je suis libre de toute contrainte mon frère, ne te fie pas aux
apparences. »

Ne sachant quoi ajouter, l'homme penaud et pensif s'en
alla, baignant dans une confusion terrible et s'imaginant des
scènes apocalyptiques. Il s'arrêta au pied d'un arbre majestueux et mastiqua distraitement la poignée d'herbes qui restait
au fond de son sac avant de sombrer dans un inextricable
chaos intérieur.

Pendant ce temps, l'homme enchaîné priait intensément
pour son frère de longue date qui avait fait fausse route.

Le lendemain, un large bûcher avait été monté sur la
grande place. Trois solides pieux y avaient été installés. Les
spectateurs impatients, avides de pareilles condamnations, se
comptaient par centaines. La foule agitée scandait des slogans
sanguinaires et réclamait à grands cris que l'on amène les condamnés.

Un peu plus tard, le bourreau du roi arriva accompagné de deux esclaves traînant par les pieds un corps nu et décharné. Le corps montrait des poignets et des chevilles profondément et fraîchement mutilés. Le ton monta dans l'audience enthousiasmée. Le corps fut fixé à l'aide de grosses cordes sur le pieu situé au sud.

Le bourreau du roi et ses esclaves partirent chercher le deuxième condamné sous une vague de cris délirants montant de la foule. Ils revinrent avec un homme tiré par les pieds au bout d'une chaîne, ses yeux étaient exorbités de frayeur. On immobilisa le corps défait et inanimé sur le pieu central.

Puis arriva une femme marchant. Elle était entourée de cinq gardes armés de lances et de gourdins. Elle ne se débattait ni ne rouspétait. Au contraire, elle avançait calmement d'un pas assuré dégageant la prestance d'une grande dignité. Elle fut fermement attachée au pieu du côté nord.

Le roi arriva sur son trône orné de somptueux bijoux et dorures, porté par seize esclaves. Le silence se fit aussitôt entendre lourdement dans la foule. Il annonça solennellement que les trois châtiés à mort avaient tenu et maintenu des propos erronés mettant en péril l'ordre établi et la vie paisible de son prestigieux royaume ou avaient honteusement trahi le tout-puissant roi qu'il était en aidant de tels dangereux individus.

« Moi seul possède l'Autorité dans le Fabuleux Royaume et les Grandes Vérités de l'Univers entier. Quiconque défiera ma Suprême Autorité ou mettra en doute les Grandes Vérités que je détiens périra sur le bûcher tels ces incorrigibles diffamateurs. Qu'on mette le feu sur le champs afin de débarrasser le Royaume de ces médiocres esprits maléfiques. »

L'homme au pieu du sud pria sans cesse pour son frère de longue date ayant cherché et découvert la Grande Vérité avec lui mais qui n'avait su l'incarner jusqu'au bout, avec détermination. Il pria pour la vieille femme qui lui était inconnue mais dont il savait son soutien, d'une quelconque façon, à la divulgation à l'humanité entière de la Grande Vérité.

Il pria aussi pour le roi et tous ses sujets espérant qu'un jour la Vérité de la Paix et de l'Amour entre en eux. Une fumée épaisse l'étouffa et il perdit conscience avant d'être dévoré par les flammes. La vieille femme, profitant de la barrière de feu pour se protéger des gardes du roi qui auraient pu vouloir la faire taire, clama d'une voix forte et audible à tous :

« Chers confrères et consœurs de ce royaume maudit. Si nous brûlons ici en cette fin d'après-midi, c'est que nous avons défendu la Grande Vérité à laquelle nous croyons fermement car nous Savons qu'elle Est. La preuve en est que même le bûcher ne nous arrête pas.

Vous avez tous entendu le discours de ces deux hommes lors de leur arrivée dans notre royaume mais n'y avez porté sincèrement attention ou avez eu peur de faire vôtre la Grande Vérité. Vous vous êtes plutôt repliés derrière le roi, cherchant une sécurité.

Sous cette fausse protection, vous restez dominés et asservis par un roi cruel vous maintenant dans l'ignorance des Grandes Lois de la Nature. Vous souffrez quotidiennement et souffrirez encore tant que vous ne vous libérerez pas de… »

Le vent tourna subitement et les flammes gagnèrent la vieille femme. Prenant son souffle pour terminer sa dernière harangue, elle sentit sa gorge et ses poumons saisis d'un air brûlant et mourut dans les secondes suivantes.

Au milieu, l'homme était terrifié par la lente progression des flammes, par les bouffées de fumée âcre l'étouffant et par les odeurs de viande grillée se dégageant autour de lui. Impressionné, il avait écouté l'ultime discours de la vieille femme malgré le tourment chaotique sévissant dans son esprit confus et affolé.

Déjà ses jambes brûlaient peu à peu quand il prit conscience, à son grand désespoir, de tous les torts qu'il avait causés à son feu camarade, à la vieille femme innocente et à toute l'humanité en reniant la Grande Vérité.

La souffrance était indicible. Les flammes montaient tranquillement sur son corps faisant fendre la peau et éclater les veines. Plongé dans ses profondes réflexions sur l'Existence et mû par une Foi devenue subitement inébranlable, il endurait le supplice avec recueillement et en silence tout en priant pour la rédemption de tous ses tortionnaires. Puis, lorsque sa chevelure s'enflamma, il eut juste le temps de lancer distinctement et à forte voix :

JE SUIS LIBRE...

Derrière le bûcher crépitant, le coucher de soleil rouge sang portant en contre-jour les trois dépouilles calcinées submergea le peuple d'une grande consternation silencieuse. Le temps semblait arrêté, la matière paralysée.

Profitant de l'état de stupeur général des gens, un gamin s'enfuit discrètement de la forteresse. Le roi eut juste le temps de l'apercevoir alors qu'il traversait le portail laissé libre par les gardes venus écouter la vieille femme au bûcher. Il leur cria d'un ton visiblement ébranlé :

« Là-bas, l'enfant se sauve, c'est lui ! Attrapez-le, vite ! »

Mais personne ne bougea.

Un joyau inestimable

J'apprends que le Musée de la Civilisation à Québec prépare la Fête autour du conte. Un concours littéraire est organisé sur le thème de la forêt. Fort de mon premier conte je me dis qu'il sera facile d'écrire sur ce sujet étant donné ma formation d'ingénieur forestier.

J'imagine toute sorte de scénarios, fais des plans mais rien ne vient spontanément. Un jour, je laisse aller ma plume et commence une histoire en plein désert. Je me questionne à savoir comment j'arriverai à faire de la forêt le sujet principal de ce conte.

Une semaine plus tard, je compose la suite. J'arrive enfin à l'orée de la forêt puis m'y aventure. Content, j'envoie *Un joyau inestimable* au concours. Il ne sera pas sélectionné.

Près de deux ans plus tard, soit début 1997, à la suite d'une séance d'imposition des mains où je suis sur la table, je prends intensément contact avec la Nature en moi. Mon ventre abrite ce joyau qui ne demande qu'à être exploré. Je me sens comme l'Imam dans la forêt de Svetlina.

José Manuel

Lire *Un joyau inestimable* me fait vibrer. Je le ressens dans toutes les cellules de mon être. C'est un appel de la Mémoire.

Ce conte vous touchera-t-il profondément, résonnera-t-il en vous ce même écho ? Vous reconnaitrez-vous quelque part sur le trajet de l'Imam, y verrez-vous des étapes de votre vie ? Peut-être sa lecture vous apprendra-t-elle sur le Don, la Confiance, l'Abandon, la Foi…

Un joyau inestimable s'adresse à vous tous sur le parcours de la Vie. Tantôt hésitant, tantôt confiant, puissiez-vous y trouver l'Inspiration.

Pauline

Un joyau inestimable

D ANS UN INFINI DÉSERT DE ROC, de pierres et de sable
vivaient depuis le début des temps des peuples nomades.
Une intense chaleur brûlante le jour, un froid cinglant durant
la nuit et des vents violents faisant voler au visage le sable
transperçant; tout cela modelait leur univers quotidien. Ces
gens n'avaient jamais vu ni même imaginé un autre environnement que le leur. Ils ne le quittaient du regard que lorsqu'ils
contemplaient la voûte céleste.

Ce monde inaccessible et mystérieux où scintillent de
petites lumières suspendues dans l'infini noir alimentait
leur curiosité et faisait l'objet de nombreuses croyances et
rituels. Ils en avaient d'ailleurs une assez bonne connaissance
puisqu'ils l'utilisaient pour s'orienter dans l'immensité de leur
univers désertique.

Ces gens s'approvisionnaient en eau et en nourriture
dans les oasis. Parfois quelques caravanes s'y croisaient et
échangeaient des moments privilégiés où chacun racontait ses
dernières péripéties. On y parlait des rencontres dans les autres
oasis et des déplacements prévus des autres caravanes, des
nouvelles naissances et de ceux qui étaient passés de l'Autre
Côté, de ses connaissances du monde céleste ou des découvertes
d'intérêt commun.

Déjà, au cours des siècles, la vie sociale s'était organisée.
Dans les oasis, sous les nombreux dattiers, on avait implanté
des cultures vivrières de différents aliments tels que le mil et le
sésame. Des familles, à tour de rôle, assuraient la permanence
pour s'occuper des jardins pendant que les autres ramenaient
différentes denrées récoltées des oasis voisins en échange de
leur propre production.

Cette année-là, d'un bout à l'autre du désert, les gens
vivaient une période agitée, frénétique sans trop en comprendre la raison. Montaient beaucoup de tensions entre les *kabi-
las*, les tribus, ce qui provoquait des troubles passagers mais
aussi des guerres.

La kabila Mihakta comptant une cinquantaine d'individus était l'une de celles-ci. Elle avait quitté son oasis subitement après avoir été envahie par une tribu venue d'ailleurs. Les gens sombraient dans la plus profonde confusion et la désolation.

Pendant ce temps, l'*Imam*, le Grand Sage de la kabila, observait méticuleusement le ciel cherchant à y découvrir le secret du terrible sort jeté à son peuple. L'Imam de Mihakta contemplait le ciel de nuit et s'interrogeait sur les attitudes des gens et des animaux le jour.

Petit à petit, au fil des mois, il remarqua que les astres semblaient vouloir s'aligner, indiquant une direction précise. Cela l'intriguait hautement et le fascinait en même temps. Il croyait trouver la réponse à ses questionnements à travers ce phénomène céleste inusité.

À la pleine lune de mars, durant la période de l'équinoxe, il implora les Grands Esprits de longues incantations afin d'être guidé vers une compréhension des évènements.

Le lendemain matin au lever du jour, l'Imam alla trouver le *Raïs*, le Grand Chef de la kabila, dans sa tente. Il raconta sa nuit intense et expliqua que les Grands Esprits lui avaient parlé.

« J'ai été chargé d'une importante Mission, dit-il au Raïs.

Une force extraordinaire est entrée en moi et je dois maintenant partir, quitter le campement. Les astres m'indiqueront le chemin à suivre vers ce lieu que nous appelons Shambhalla.

Je te demande, cher Raïs, un chameau et des vivres. Je dois partir dès ce soir, c'est très important.

— Mais cet endroit est reconnu très dangereux ! s'exclama le Raïs de Mihakta.

Personne n'ose plus approcher ce lieu. Des forces maléfiques hantent ce territoire et celui qui y pénètre n'en sort jamais.

Tous ceux qui ont tenté de s'approcher de là sont disparus sans qu'on en entende jamais plus parler.

— Je sais très bien, répondit l'Imam.

Mais maintenant je Dois y aller. J'ignore ce qui arrivera mais j'irai !

— Toi seul sait, ô Grand Imam. Je dois m'incliner devant ta décision. Je te donnerai trois hommes et cinq bêtes pour t'accompagner. Il est imprudent de s'aventurer seul dans le désert.

— Merci de ta grande bonté ô Grand Raïs, mais je ne puis accepter ton offre si généreuse.

Tu as besoin de tes hommes et de tes bêtes en ces temps difficiles. Il vaut mieux que tu ne perdes qu'une seule bête et ton Imam que celui-ci en plus de trois dignes hommes et cinq braves bêtes.

Je préfère aller seul en Shambhalla.

— Soit, dit le Raïs.

Je ne puis rien t'imposer. Tu sais mieux que moi qu'il y a deux lunes de route jusqu'en Shambhalla. Dans une vingtaine de jours, tu arriveras à la petite oasis d'Imhedia.

Depuis très longtemps nous n'y sommes pas allés. Nous n'avons rencontré personne qui y soit allé, nous ne savons rien d'Imhedia depuis de nombreuses années.

De là, sept jours de route te mèneront aux limites du Territoire Interdit, là d'où personne ne revient. On dit qu'il reste encore une lune de route avant d'atteindre Shambhalla.

Nul ne sait si ce Territoire abrite des oasis pour se ravitailler. La route sera longue et périlleuse, cher Imam.

Je te donnerai deux bêtes afin que tu puisses emporter suffisamment de vivres pour ton aller et ton retour. Je crois que tu reviendras puisque les Grands Esprits t'accompagnent.

Je te prie d'accepter cette deuxième bête, ô Vénéré Imam.

— Bien, j'accepte, très cher Raïs. Ta proposition me convient. Je serai plus en sécurité ainsi. Je t'en remercie profondément.

Sois certain de mon retour à la kabila après ma Mission. Si je Dois y aller, c'est que je reviendrai.

— Je me réjouis de ta réponse.

Je ferai préparer les bêtes et les victuailles afin que tu puisses quitter dès la tombée du jour. Nous ne nous déplacerons pas aujourd'hui. J'aviserai tout le monde de ton départ. Nous établirons un campement durant trois jours afin de prier pour que les Bons Esprits te guident et te protègent. Nous nous ravitaillerons à la prochaine oasis, à cinq jours d'ici. »

La journée fut mouvementée entre les hommes s'affairant aux préparatifs et les femmes préparant les victuailles. À l'annonce des trois jours de prières suivirent des interrogations de la part des gens quant à la mission de leur Imam. Dès la tombée du jour, alors que le temps se rafraîchissait, l'Imam tira respectueusement sa révérence après que le Raïs eut prononcé un bref mais solennel discours.

Dans un silence complet, les deux chameaux s'éloignèrent suivant l'Imam marchant devant. Avant qu'ils ne disparaissent derrière la première dune, la nuit les avait déjà engloutis.

Le silence le plus complet régna au campement durant les trois jours. Puis l'agitation du départ provoqua le retour au quotidien et la kabila reprit dignement sa route vers le prochain oasis. Chacun restait cependant dans un état de recueillement continuel.

L'Imam avançait sans encombre, progressant toute la nuit en se dirigeant avec les astres. Il s'orientait particulièrement avec facilité car l'alignement des astres formait une ligne pointant sur le site présumé de Shambhalla. Il n'avait même pas à guider les chameaux, ils s'orientaient eux-mêmes dans cette direction.

Au milieu de la nuit, il fit une halte d'une heure pour reposer ses bêtes. Lui s'adonna à une longue méditation puis s'alimenta un peu, rationnant sa nourriture au strict minimum. Puis, ils reprirent la route jusqu'au début des grosses chaleurs. À ce moment, il trouva un endroit abrité pour lever la toile et s'installer jusqu'à la descente du soleil. Ainsi se succédèrent les jours.

Le matin du vingtième jour, il arriva à Imhedia mais n'y trouva personne. Il observa des traces fraîches indiquant que les gens avaient quitté depuis peu. L'Imam décida de faire une halte de deux jours afin de reprendre des forces et de vérifier le matériel avant de repartir vers l'ultime étape de son périple.

Il se réapprovisionna en eau avant de poursuivre son objectif le lendemain soir. Il laissa Imhedia, intrigué par l'absence des gens. On ne laisse jamais une oasis seule durant plusieurs jours même rarement durant plusieurs heures.

La route continua normalement avec ses jours de chaleur accablante voués au repos et ses nuits froides de marche. Lors des tempêtes de sable, l'arrêt devenait obligatoire. L'alignement céleste progressait puisque de nouveaux astres semblaient se rapprocher vers cette ligne de convergence sur Shambhalla.

Au fur et à mesure qu'ils s'approchaient du Territoire Interdit, les chameaux ralentissaient le pas, se fatiguaient rapidement et montraient des signes d'énervement, d'agitation.

Au soir du sixième jour, les chameaux ne daignaient plus bouger et résistaient à toute tentative de les faire avancer. L'Imam devint perplexe et commença à se demander ce qu'il adviendrait de lui. Constatant l'impossibilité de continuer, il pria.

« Ô Grands Esprits de tous les Mondes qui m'avez guidé jusqu'ici sans encombre, je vous remercie de votre Protection.

J'ai reçu votre Appel à travers vos Messagers les astres et suis toujours décidé à me rendre en Shambhalla coûte que coûte. Peut-être mon aller sera sans retour mais qu'importe… Si vous m'y avez Appelé, je Dois y aller sans compromis.

Mes chameaux bien-aimés ne veulent plus avancer et je ne sais que faire. J'ai encore près d'une lune de route à parcourir. Aidez-moi, je vous en prie ! »

Un léger vent chaud souffla sur sa nuque. Il reconnu l'odeur de l'haleine de son chameau. Celui-ci venait de s'agenouiller derrière lui afin de le faire monter sur son dos. Normalement l'Imam ne montait pas les chameaux pour éviter de les fatiguer outre mesure. Ils portaient déjà de lourdes charges. De plus, jamais un chameau ne s'abaissait de lui-même pour faire monter quelqu'un. L'Imam était stupéfait.

Le chameau exprimait, de ses larges yeux ronds, une grande bonté d'une intensité inhabituelle. Il laissait échapper des gémissements comme pour inciter l'Imam à le monter. Le chameau semblait habité d'une vitalité et d'une paix peu commune. L'Imam monta, le chameau se leva puis alla rejoindre l'autre bête qui se mit à les suivre. L'Imam n'y comprenait rien.

Sous le rayonnement de la pleine lune d'avril, les animaux avançaient droit sur Shambhalla d'un pas assuré. Leur démarche avait changé, tout comme leur regard. En même temps qu'il percevait la Sérénité animant ses bêtes, il sentait les énergies du mur du Territoire Interdit commencer à se manifester.

La lumière du jour commença à poindre à l'horizon sans même qu'il n'ait eu de halte durant la nuit. L'Imam contempla une scène dont il n'aurait pu imaginer l'existence. Le sol d'un blanc grisâtre était couvert d'ossements. Ils couvraient le sable à un point tel que les chameaux ne faisaient un pas sans faire craquer un os.

Plus loin, à une heure ou deux de marche en avant, l'horizon était bouché. On n'y voyait absolument rien. Une tempête soulevait des nuages de sable en gerbes grandioses.

Les chameaux se dirigèrent vers un petit abri dans un rocher non loin de là et y déposèrent l'Imam. La petite caverne était jonchée d'ossements humains qu'il s'attarda à observer. L'angoisse montait en lui.

« Me voilà rendu au seuil du Territoire Interdit. Mon dernier souffle s'en vient comme à tous ces gens là.

Pourquoi suis-je venu ici sachant que personne ne pouvait passer ? C'est de la folie !

Et tous ces chameaux qui ont péri, laissant leur carcasse, ils sont des milliers et des milliers, c'est incroyable… »

Tout à coup l'Imam se préoccupa de ses chameaux portant encore le matériel de campement et les vivres.

« Où sont-ils ? pensa-t-il.

Je vais les décharger. »

Ils n'étaient plus là. Ils ne s'éloignaient pourtant jamais. Bientôt il les aperçut au loin marchant l'un derrière l'autre d'un pas digne et résigné se dirigeant imperturbablement vers la tempête de sable. Le désespoir envahit l'Imam d'un seul coup.

« Je suis perdu ! Sans chameau, sans eau ni nourriture, je vais périr comme les autres, détruit par les implacables Démons du Territoire Interdit. »

Déjà ses chameaux se distinguaient difficilement au loin, la tempête s'approchait d'eux dangereusement. Curieusement pourtant, aucun vent ne perturbait l'air où l'Imam réfléchissait. Il en arriva finalement à reconnaitre la Grande Sagesse de ses bêtes qui voulurent arrêter la veille comme si elles avaient su ce qui les attendait ici. Il apprécia aussi la Grande Bonté qui les avait amenées à continuer leur route malgré leur fin certaine.

C'était un Grand Don d'elles-mêmes que ces bêtes avaient fait à l'Imam. Il en reconnu l'Inestimable Valeur puis les remercia et les gratifia du plus profond de son âme.

« Plutôt que de périr lâchement dans cet abri des morts, se dit-il à voix haute, et d'abandonner ma course au seuil du Territoire Interdit tel un vaincu, je continuerai jusqu'au bout ! Chaque pas de plus en avant me rapprochera de Shambhalla où je Dois me rendre. Mes chameaux sont déjà en route, pourquoi ne pourrais-je en faire autant ?

Ô Grands Esprits de tous les Mondes, je ne suis pas venu ici pour m'arrêter. Je Dois aller en Shambhalla et je continuerai ma route quoi qu'il arrive.

Si vous m'avez si bien guidé jusqu'ici pourquoi ne me guideriez vous pas encore ? Je mets toute ma confiance et ma foi en vous. Je suis prêt à tout. »

Levant sa tête vers le ciel obscurci, l'Imam observa de nouveau l'alignement des astres s'enfoncer dans la tempête tel un glaive lumineux perçant les ténèbres. Il entama sa marche Dignement en pensant à ses chameaux, le cœur empli d'un Amour respectueux envers ses bêtes et d'une Grande Humilité devant les éléments de la nature se déchaînant devant lui. Tout à coup une violente rafale le frappa soulevant le sable sur son visage et emplissant ses yeux. Il eut la sensation de milles aiguilles plantées dans sa peau. Il ajusta consciencieusement son turban blanc et continua. Le vent soufflait de plus belle. Il n'y voyait plus rien, même les astres avaient disparu du ciel. Il avançait péniblement.

Le vent s'intensifia à un point tel qu'il ne pouvait plus tenir fermement debout. Un brusque souffle le renversa brutalement. Il se releva difficilement puis retomba aussitôt. Déterminé à poursuivre sa route, il continua à quatre pattes avançant imperturbablement vers Shambhalla.

Le vent était si fort que l'air lui manquait. Le bruit était assourdissant et, malgré l'heure du jour, il faisait plus noir que lors d'une nuit sans lune.

L'Imam priait sans relâche avançant pas à pas vers son but ultime lorsqu'il se sentit soudainement emporté violemment dans les airs tels les milliards de grains de sable l'entourant. Il se sentait tournoyer à une vitesse vertigineuse.

L'Imam fut tout à coup foudroyé d'une énergie inimaginable parcourant son corps dans un jeu de lumières d'une clarté éblouissante. Tout devint calme et silencieux. Une Paix Profonde régnait en lui.

Il ouvrit les yeux. Le ciel clair brillait, il n'y avait plus aucun signe de mauvais temps à l'horizon. L'Imam se trouvait seul dans l'immensité mais il Savait qu'il était bien Accompagné.

« Je vous Remercie, ô Grands Esprits de tous les Mondes, de m'avoir Conduit à bon terme. Je vous en suis très Reconnaissant. Je poursuivrai ma route vers Shambhalla. »

D'intuition l'Imam Savait quelle direction emprunter. Il se mit sitôt en route. Curieusement, ici le soleil ne brûlait point même en plein après-midi. La progression était facile, la fatigue n'apparaissait pas ni la soif ou la faim. Il voyait une dune et déjà il y était. Sitôt il en voyait une autre, le voilà qu'il la surmontait. Ainsi de suite, de dune en dune, l'Imam parcourait de grandes distances jour et nuit.

Au bout d'une semaine, il vit se dessiner à l'horizon une formation encore jamais vue. D'une imposante magnificence s'étendaient et s'élevaient d'impressionnantes montagnes dont les sommets disparaissaient dans une jolie auréole de nuages d'un blanc immaculé. Il admira la somptueuse scène un moment.

Voilà où se cache Shambhalla ! se dit-il, épris d'un Profond Respect et d'une Grande Reconnaissance envers les Grands Esprits l'ayant Conduit jusqu'ici.

Il s'arrêta pour contempler la splendeur du paysage. Celui-ci l'emplissait d'une Grande Paix Intérieure. Il médita et pria longuement.

« Ô Shambhalla la Mystérieuse, je te vois enfin. Derrière ces nuages blancs tu te caches sublimement. J'éprouve le plus Grand Respect devant ta Présence en face de moi et m'Incline Humblement.

Puisses-tu m'accueillir dans ton Royaume et partager avec moi tes Connaissances. Je t'en prie, accepte-moi en ton sein et imprègne-moi de ta Paix immense. »

Il reprit sa route, transporté d'une dune à l'autre comme depuis son entrée dans le Territoire Interdit. Déjà vingt-cinq jours s'étaient écoulés depuis son réveil après la tempête. L'Imam n'avait rien bu ni mangé depuis ce temps, il sentait son corps se fluidifier.

Quelques jours plus tard commença la nuit de la pleine lune de mai, celle qu'on appelle des Wésak. La voûte céleste comptait déjà onze astres parfaitement alignés. L'Imam se prosterna devant ce phénomène inusité qui l'avait guidé. Par des incantations il demanda d'être guidé encore jusqu'à destination. Puis il pria pour sa protection.

Il resta immobile face à la pleine lune s'imprégnant de son flux lumineux intense et limpide. Peu à peu, la lune appro-

chait les onze astres alignés pour aller se placer sur cette succession là où il restait encore un espace sombre. L'instant de
l'alignement parfait approchait indubitablement créant un
état d'attention soutenue chez l'Imam.

À l'instant même l'Imam vécut un moment émouvant où
il fut déchiré violemment par un éclat de lumière si intense
qu'il éclaira l'Univers tout entier.

Dans cet instant de foudroiement indescriptible, il Vit
avec une Clarté infinie le Passé, le Présent et le Futur, de tout
l'Univers dans ses moindres détails. La puissance de cet éclair
brûlant pulvérisa son corps en milles poussières incandescentes
se dispersant dans l'Infini. Le temps n'existait plus, l'Imam
flottait submergé dans la Claire Lumière.

L'Imam était Serein, en Paix profonde. Il entendit une
Voix enveloppante d'une Grande Puissance et d'une Infinie
Douceur, lui demander s'il voulait rester dans cette Lumière
pour l'Éternité ou s'il faisait le Vœu de retourner sur terre
aider les siens.

« Je nage dans le Bonheur le plus Sublime qui soit,
répondit-il.

Mais je veux retourner chez mes frères et sœurs du
Grand Désert Sans fin pour leur enseigner la Voie. Telle est
ma Mission. »

Aussitôt, il fut aspiré dans un tourbillon étincelant interminable.

L'Imam était étendu par terre les yeux fermés. Il sentait
une agréable fraîcheur humide sur tout son corps. Des mélo-
dies ravissantes envoûtaient ses oreilles. Puis il sentit une chaleur bienfaisante sur son visage, accompagnée d'une lumière
chatoyante traversant ses paupières.

Il ouvrit doucement les yeux. Le soleil se levait, perçant le
feuillage de l'arbre majestueux sous lequel il était allongé. Sur
les branches, des oiseaux multicolores gazouillaient de joie. Il
s'assit et regarda autour de lui.

À perte de vue se dressaient des arbres au large tronc et
aux abondantes feuilles d'un vert lumineux où miroitaient des

gouttes de rosée. Des animaux de toute forme et de toute couleur gambadaient avec enthousiasme autour de lui alors que d'autres l'observaient d'un regard curieux.

« Bonjour jolies petites bêtes ! lança tendrement l'Imam émerveillé.

Dites-moi où je suis. Je ne sais pas comment je suis arrivé ici. Je ne connais pas cet endroit si magnifique.

— Bonjour grosse bête ! Je suis le lièvre.

Tu es dans la Forêt de Svetlina. Je te souhaite la bienvenue. Dis-nous qui es-tu ? Et d'où viens-tu ?

— Je suis l'Imam de la kabila Mihakta du Grand Désert Sans fin.

Je marchais vers Shambhalla quand l'alignement des douze astres me foudroya. Je ne me souviens plus de ce qui s'est passé ni comment je suis arrivé ici, dans cette contrée féerique.

— Cher Imam, dit une gracieuse biche, tu es en Shambhalla car la Forêt de Svetlina s'y trouve. Pour y entrer, tu as dû passer par le Pays de Lumière, lui aussi en Shambhalla.

Nous l'appelons Vidélina.

— Généralement, lors de notre première arrivée dans la Forêt de Svetlina, on ne se souvient plus très bien de notre passage en Vidélina, ajouta un vif petit écureuil.

— Mais ta mémoire reviendra petit à petit, précisa un serpent au teint violacé pendu par la queue au bout d'une grosse branche. »

Un lion arriva et dit à l'Imam : *Monte sur mon dos, je vais te faire visiter Svetlina, notre Royaume.*

L'Imam monta en toute confiance sur le dos du Lion. Un joli petit oiseau rouge et vert se percha sur son épaule et les accompagna.

« Je serai ton guide, dit-il à son oreille.

Pose moi toutes les questions que tu veux. »

Le Lion amena l'Imam dans les tréfonds de la forêt, rencontrant ses nombreux et diversifiés habitants tout au long de la tournée.

« Tu vois, dit l'oiseau, nous avons chacun notre tâche dans cette forêt, notre rôle à jouer. Les arbres et les plantes puisent leur force au Pays de Vidélina avec lequel ils sont toujours en contact. Chacun a ses caractéristiques qui lui sont propres. Un préfère les sites rocailleux alors qu'un autre s'épanouit près des cours d'eau. Mais tous sont utiles à nous les animaux.

Nous n'avons pas la possibilité d'ingérer directement les énergies de Vidélina, c'est pourquoi nous devons manger les feuilles, les fruits, les fleurs ou les racines des arbres et des plantes. Cela nourrit nos corps et nous anime de la Force vitale.

De plus les arbres et les plantes nous procurent une qualité d'air nous permettant de vivre et de goûter aux flux subtils de Vidélina. Les arbres nous servent aussi d'abri. Certains animaux s'installent dans les troncs creux, d'autres sur les grosses branches.

Pour ma part, je fais mon nid avec des herbes sèches que je suspends au bout d'un fin rameau d'une branche basse ; ainsi, le vent nous berce toute la nuit et les oisillons dorment bien.

En contrepartie, les déchets que nous produisons ainsi que les corps de nos compagnons retournés à Vidélina nourrissent les petites bestioles vivant dans la terre. À leur tour, elles alimentent la végétation dont nous nous régalons.

Nous évoluons en harmonie car chacun de nous participe à sa façon à la Beauté de la Forêt de Svetlina. Si l'un d'eux devait disparaitre, cela nous déstabiliserait et nous devrions suppléer au manque ainsi créé pour garder notre équilibre. Mais jamais plus nous ne pourrions vivre si bien que nous le faisons actuellement, nous avons tous besoin les uns des autres.

— Comme la Forêt de Svetlina est Généreuse pour vous tous, constata l'Imam avec émerveillement.

Elle pourvoit à tous vos besoins sans que vous n'ayez à vous en préoccuper.

Petit oiseau, dis-moi, serait-il possible que je conduise mes frères et mes sœurs dans votre Royaume afin qu'ils y vivent ?

— Tu sais comment tu es venu ici cher Imam. Ce chemin est l'Unique Voie pour aboutir à la Forêt de Svetlina. Nul ne peut les amener ici. Il n'y a que le Grand Maître de Shambhalla qui puisse le faire, comme il l'a fait pour toi.

De nombreux autres Sages ont essayé d'atteindre Shambhalla en même temps que toi. À la dernière oasis où tu es passé, avant d'entrer dans le Territoire Interdit, toute la kabila venait de quitter pour venir ici mais personne ne s'est rendu.

De toute l'immensité de ton Grand Désert, tu es le seul, le premier de la race humaine, à avoir franchi toutes les étapes nécessaires pour entrer en Shambhalla.

Tu peux tout de même aider tes frères et tes sœurs du Grand Désert à trouver le Chemin de Lumière puisque tu l'as déjà parcouru. Ils devront cependant cheminer seuls vers Shambhalla. Telle est la Condition incontournable.

— Je ne crois pas que les gens de mon peuple soient encore prêts à emprunter ce Chemin mais je les y préparerai.

— Tu as tout compris ! s'exclama le petit oiseau.

Voilà pourquoi ils ne peuvent venir ici. Si tous pouvaient entrer sans préparation dans notre Royaume, la pagaille viendrait rapidement et il s'en suivrait une destruction certaine de la Belle Forêt de Svetlina. »

Le Lion s'arrêta devant une large rivière où l'eau limpide coulait à torrent entre de gros rochers pleins de mousses et de lichens.

« Voilà l'unique possibilité pour toi Imam de sortir de notre Royaume annonça le Lion.

Lorsque tu souhaiteras retourner chez les tiens, tu te laisseras porter par les flots de cette eau vive et cristalline. Elle te conduira hors de la Forêt de Svetlina, là où tu voudras te rendre.

— Chers amis, commença l'Imam, je suis comblé par la visite de votre Royaume et par mes rencontres avec vous tous.

L'Harmonie qui règne ici entre tous les êtres vivants, les animaux et les plantes, m'a enseigné le Message de Paix, d'Amour et de Partage que je dois rapporter à mon peuple, terrassé par la violence et les guerres.

J'éprouve une Grande Reconnaissance envers vous tous qui m'avez accompagné et un Respect Infini devant le Grand Maître de Shambhalla qui a bien voulu me guider jusqu'ici.

Je suis Honoré d'avoir été choisi parmi tant d'autres Grands Sages de ma contrée pour venir ici. Je considère ce geste comme une preuve de Confiance inestimable envers moi. Je prendrai donc la Responsabilité des Connaissances qui me seront transmises afin que le Bonheur continue de Régner sur Svetlina.

Je tâcherai aussi, chez les miens, d'amener les gens sur la Voie de la Sagesse afin qu'ils puissent venir un jour dans le Fabuleux Royaume de la Forêt de Svetlina en Shambhalla.

Avant de vous quitter cependant, je voudrais vous faire part de mon Vœu…

— De quoi s'agit-il ? dit le Lion.

— J'aimerais ramener à mon peuple des plantes et des arbres afin d'améliorer leurs conditions de vie difficiles en attendant qu'ils puissent venir ici.

Cela leur donnerait l'espoir d'un monde meilleur et le souhait intense de parcourir le long Chemin menant à Shambhalla. Mais je ne sais pas comment faire ni si vous êtes d'accord avec cela. »

L'Aigle, qui passait par là et qui avait entendu la requête de l'Imam, se percha sur un gros rocher pointu au milieu de la rivière et prit la parole.

« Ton idée est excellente, cher visiteur des Pays Sans Vie. Je vais te dire comment tu pourras réaliser ton Généreux Souhait.

Tu devras ramasser le plus beau fruit ou la plus belle fleur de chaque plante et de chaque arbre de notre Magnifique Forêt. Mais ce ne sera pas suffisant car la forêt ne peut s'épanouir sans les animaux. Tu devras aussi demander au plus digne représentant de chaque espèce animale qu'il te donne une partie de lui-même. »

L'Aigle s'envola vers l'Imam et, passant au-dessus de lui, s'arracha une longue plume qu'il laissa tomber. Avant même que l'Imam n'ait le temps de l'attraper, l'Aigle était déjà retourné sur son rocher.

« Prend un poil de ma crinière, lança le Lion avec enthousiasme, je te l'offre !

— Bien, dit l'Aigle.

De tous les animaux de la forêt tu dois obtenir une partie, que ce soit un poil, une plume, une écaille, une patte ou une queue. L'animal lui-même, après lui avoir expliqué l'objet de ta requête, doit te la donner ou accepter que tu lui la prennes, directement ou indirectement.

Jamais tu ne devras le faire à son insu ou malgré lui. L'animal ne devra pas mourir de la partie dont tu l'amputeras et s'il doit en souffrir, ce sera de son plein gré.

Également en ce qui concerne les plantes, tu devras leur demander l'autorisation avant de procéder à la cueillette. Si la plante n'est pas en fleur ou en fruit, le plus beau bourgeon, la plus belle feuille ou la plus belle radicelle suffira.

Tu ne pourras partir que lorsque tu auras récolté une partie de chaque élément de la nature composant la Forêt de Svetlina. Tu ne dois en oublier aucun que ce soit sous terre, sur terre, dans l'eau ou dans les airs. Tous sont indispensables et uniques.

L'absence d'un seul d'entre eux serait préjudiciable à tous les autres. Tu devras donc emporter aussi avec toi un morceau de chaque caillou différent qui habite cette forêt ainsi qu'une goutte d'eau de chaque source, ruisseau, torrent, rivière ou lac en plus d'une goutte de pluie et d'un flocon de neige.

Quand tu auras ramassé tout cela avec la plus Grande Reconnaissance envers tes humbles collaborateurs, il te sera permis de partir chez les tiens pour reproduire une forêt comme celle de Svetlina.

— Merci de tes précieux conseils cher Aigle et merci aussi pour ta jolie plume.

Mais, dis-moi, comment vais-je récolter tout ça ? Il y a tant de diversité dans votre Merveilleux Royaume que jamais je ne viendrai à bout de cette tâche !

— Si tu ne peux le faire, Imam, tu devras nous quitter comme tu es venu, c'est-à-dire sans rien avec toi. Je ne puis t'aider plus. Je te souhaite bonne chance et bon courage. »

L'Aigle s'envola et disparu derrière les arbres. L'Imam resta immobile un certain temps, réfléchissant sur ce qu'il venait d'entendre. Il ne savait pas s'il devait entamer cette longue récolte ou bien s'il devait se contenter de rentrer chez lui sans plus.

« Je ne suis pas venu si loin pour revenir bredouille, pensa-t-il finalement.

Les miens ne se contenteront pas de paroles. Je leur apporterai cette forêt ou je ne reviendrai tout simplement plus jamais chez moi.

Cher Lion, demanda-t-il, pourrais-tu me conduire chez tous les plus beaux représentants de chaque espèce animale de cette forêt, me présenter chaque plante qui porte les plus beaux fruits, les plus belles fleurs, les plus beaux bourgeons, les plus belles feuilles ou les plus belles radicelles et me faire connaitre tous les cailloux et rochers différents de ton Royaume ?

— Cela me sera Grande Joie cher Imam, mais sache que nous en aurons pour des dizaines et des dizaines d'années pour réunir tout ce qu'il te faut. Certaines plantes et certains animaux ne vivent que dans des endroits bien particuliers qui sont très éloignés d'ici et parfois difficilement accessibles.

— Nous prendrons le temps qu'il faudra. Je ne puis rentrer chez moi les mains vides. Je suivrai donc les Instructions de l'Aigle telles qu'il me les a prescrites..

— Très bien Imam, répliqua le Lion, je suis à ton service. Allons-y ! »

Jours et nuits, le Lion et l'Imam sillonnaient le Royaume de Svetlina de long en large dans toutes les directions. À chaque animal, plante ou caillou, l'Imam expliquait son intention et demandait que le plus fort et le plus beau représentant de l'espèce veuille bien lui offrir une partie de lui-même. Tous collaboraient à la quête de l'Imam. Il accumulait des plumes d'oiseaux de toutes les couleurs, des poils de mammifères de toutes les textures, des écailles de poissons aux reflets inimaginables, des pattes de mouches, d'araignées et de chenilles, des queues de lézards, de serpents et de vers et des fleurs, des fruits, des bourgeons, des feuilles ou des radicelles de toutes variétés de plantes.

Rapidement, l'histoire de l'Imam se répandit sur tout le territoire du Royaume de Svetlina. Chacun était au courant de la quête de l'Imam et tous participaient à la récolte. Des montagnes comme des vallées, des régions chaudes comme des régions enneigées, parvenaient des airs, des terres et des eaux, des animaux avec chacun une récolte provenant de leur région respective.

Ils apportaient sans cesse des échantillons de nouvelles espèces à l'Imam au comble de sa joie. Le Royaume entier fourmillait d'une activité fébrile de tous ses habitants si bien qu'en quelques semaines tout fut ramassé. L'ensemble de la récolte formait un monticule de deux hauteurs d'homme.

« Mais comment vais-je transporter tout cela jusqu'au Grand Désert Sans fin, s'exclama l'Imam, il y en a tellement !!

Ô Grand Aigle, viens me conseiller. Je ne sais que faire... »

L'Aigle se percha au sommet du tas minutieusement accumulé par l'Imam : *Je vois que tu t'es très bien débrouillé, cher Imam, je te félicite.*

Le Sage leva la tête pour regarder son interlocuteur et lui dit :

« Mais comment vais-je faire pour apporter tout cela chez les miens ? Jamais je ne croyais amasser une quantité pareille d'éléments différents !

— Tu vois que la Forêt de Svetlina regorge d'une diversité impressionnante d'éléments luxuriants. C'est ainsi qu'elle fonctionne si bien et qu'elle s'avère si Riche et Généreuse.

Je vais t'indiquer comment résoudre ton problème. Sais-tu que l'eau a une mémoire ?

— Non, je l'ignorais, répondit l'Imam.

— Hé bien oui, elle en a une.

Ce que l'eau a senti une fois, elle s'en souvient pour l'Éternité. Il suffit de bien l'imprégner de ce dont on souhaite qu'elle se souvienne.

Pour ce faire, tu devras brûler le monticule sur lequel je suis perché, là où est ta récolte. Le feu devra produire une chaleur suffisamment puissante pour tout réduire en cendres.

Lorsque ces dernières seront refroidies, tu y ajouteras l'eau que tu as accumulée dans les tronçons de bambou. Tu devras bien mélanger le tout afin que l'eau circule entre chaque particule de cendre. Cela permettra à l'eau de mémoriser les Connaissances de chacune d'elles dont l'ensemble contient la Science de tous les éléments de Svetlina. Cette étape se fera au lever du jour, en période de lune croissante.

Lorsque ton mélange sera parfait, tu laisseras la cendre se déposer. Puis, avec la plus Grande Reconnaissance et le plus Grand Respect, tu boiras avec un état d'esprit Complètement Ouvert l'eau limpide restant au dessus du dépôt. Après quoi, tu sauteras immédiatement dans la rivière que le Lion t'a indiquée, celle qui te conduira chez les tiens. Nous t'accompagnerons ainsi tous. »

L'Aigle s'envola dans le ciel, fit un grand cercle en planant puis disparut au loin. Il restait trois jours avant la pleine lune de juin. L'Imam s'affaira rapidement à sa tâche. Frottant deux pierres ensemble, il alluma le feu sur les herbes et les feuilles déjà séchées depuis le temps. Bientôt tout s'embrasa et produisit une belle flamme jaune et orangée teintée de reflets bleus, verts et violets. Le centre du brasier devint rouge vif.

Le feu dura deux jours complets. L'Imam dut attendre le lendemain matin au lever du soleil pour préparer son mélange qu'il brassa consciencieusement de son bras droit. Le soleil était déjà haut lorsque l'eau redevint parfaitement claire.

Il la but dans le Recueillement le plus Complet. Malgré la quantité importante de liquide, il put absorber le tout facilement sans ressentir aucun malaise. Il se jeta aussitôt dans les eaux tumultueuses du torrent comme il se devait. Il n'eut besoin de saluer ni de remercier personne puisqu'ils habitaient tous en lui.

Le courant l'emporta comme un fétu de paille. Il glissait entre les rochers sans s'y heurter. Le courant s'accélérait toujours de plus en plus. Tout à coup l'Imam aperçut devant lui une chute grandiose dans laquelle il se voyait précipiter. Il s'abandonna en toute Confiance, tout en se sentant tomber, tomber, tomber sans fin…

L'Imam traversa un épais brouillard dense et grisâtre. Soudain, il entendit des voix lointaines mais familières. Elles paraissaient toujours plus distinctes et fortes. Puis il se sentit secoué vigoureusement, avec frénésie.

« Imam ! Imam ! Que fais-tu là ? Réveille-toi ! »

Il ouvrit les yeux. Le jour se levait à peine alors que la pleine lune brillait encore.

« Comment es-tu arrivé ici ? Que t'est-il arrivé ? Est-ce que tout va bien ? Imam, cher Imam, réponds-moi !

— Ô cher Raïs, quelle joie de te revoir ! Ne t'inquiète pas, je vais très bien. J'arrive de Shambhalla, de la Forêt de Svetlina. Je te raconterai plus tard…

— Nous avons vu tes deux chameaux revenir au campement avec tous les bagages, mais tu n'y étais pas. Nous avons tous cherché dans la direction d'où venaient les bêtes. J'ai vu une lueur près d'un rocher et je suis allé voir.

Je t'ai trouvé là, tu gisais au sol. Quelle chance ! Quel miracle !

Notre Imam est revenu ! Il est ici et il va bien, cria le Raïs de toutes ses forces aux gens qui cherchaient encore. »

Tous se précipitèrent vers le Raïs en criant de joie et de surprise. L'Imam se leva et, au même moment, un rayon lumineux venu du ciel entra en lui. Tous furent violemment éblouis et son corps devint de Lumière. Là où il était couché prit naissance une source qui bientôt se transforma en ruisseau puis en rivière.

L'Imam avança un peu. Sur ses pas poussaient des arbres magnifiques. Il se pencha sur la rivière et prit l'eau dans le creux de ses mains. Il la jeta au ciel et elle retomba aussitôt en une douce pluie abondante. En un rien de temps le désert se couvrit de végétation. L'Imam prit une poignée de sable qu'il lança sous le vent. Les grains virevoltèrent dans toutes les directions et là où chacun d'eux retombait, se souleva une montagne.

Les gens de la kabila Mihakta étaient sidérés. Ils regardaient l'Imam, puis autour d'eux, se demandant s'ils ne rêvaient pas. Puis l'Imam, de son corps de Lumière, explosa en une multitude d'étincelles. Chacune d'elles prit la forme d'un animal : les bêtes couraient vers la forêt, les oiseaux fonçaient vers le ciel, les poissons plongeaient dans la rivière et d'autres petites bestioles s'enfonçaient dans le sol.

En l'espace de quelques heures le désert s'était transformé en une forêt luxuriante à l'image de celle de Svetlina devant les yeux de tous. Mais, dans la gerbe de feu, l'Imam avait disparu.

Sans comprendre ce qui s'était passé, les gens, encore sous le choc de ce qu'ils venaient de vivre, s'installèrent dans la forêt pour se recueillir. Personne ne parlait, ce n'était pas le moment. La pleine lune brillait encore timidement sur eux.

Durant la nuit suivante, le Raïs eut une vision de l'Imam. Il se manifesta de son corps de Pure Lumière.

« Ô très cher Raïs, je vous ai apporté, à vous peuple du Grand Désert Sans fin, une forêt identique à celle de Svetlina en Shambhalla. Toutes les plantes, tous les animaux, tous les cailloux et tous les cours d'eau y sont. Chacun de ses éléments est indispensable à sa Continuité, à son Harmonie.

La seule différence est que cette nouvelle forêt est aussi habitée par les humains. Je te prie de prendre le plus grand soin de cette Richesse fabuleuse que constitue la forêt.

Si vous savez la respecter dans son intégrité et ne bouleversez pas son Équilibre parfait, elle se montrera des plus

Généreuses. Ce Joyau inestimable vous approvisionnera jusqu'à la fin des temps, suffisamment pour combler tous vos
besoins sans que vous n'ayez besoin de souffrir d'un quelconque manque ou d'une quelconque peine.

Gare à la convoitise, à l'avidité, à l'égoïsme et à l'instinct
de domination de tes pairs, de tes frères et sœurs. S'ils abusent
des Richesses inestimables de la forêt, ils la détruiront et elle
disparaitra à jamais. Le désert aride, la famine et la vie pénible
reviendront.

Je compte sur toi pour que tu enseignes aux humains la
Juste Voie. Je te guiderai. »

L'Imam ne confia pas au Raïs ce qui lui avait été Révélé
sur le Futur, mais il Savait déjà ce qu'il adviendrait de la forêt
habitée par les êtres humains…

Appel à la Continuité

Ta voie s'ouvre
Quand tu t'ouvres
À **Son** expérience
Tu découvres
Son existence

Sa Voix t'ouvre
Pour **Le** retrouver
Tu dois souffler
Les vieux mythes
Qui t'habitent

Ta voie suit Sa Voix
Dans la vacuité
Des pôles fusionnés
Il Se révèle
Tu te rappelles

Ta Voix est Sa Voix
Ta Gratitude
Emplit les cœurs
La Plénitude
S'éveille en douceur

Aie Foi en Sa Voix
Suis **Son** chemin
Rien ne te manquera
Au contraire s'ouvrira
La route vers demain

Aie Foi en ta voie
Où que tu sois
Quoi que tu penses
Sa Présence
Gît en toi

Aie Foi en Sa Voie
Vie après vie
Le connu se répète
Sauf si tu décrètes
Que cela suffit

Ta Voie est Sa Voie
Invite l'Absolu
À S'accomplir
Manifeste-**Le**
Maintenant

Tout commence ici

Vous achevez la lecture de *La Voix du Cœur*... à moins que vous ne commenciez par la fin ! Le cas échéant, nous vous souhaitons une rencontre avec vous-même, sincère, compréhensive et libératrice. Nous vous suggérons de commencer par les textes de présentation en début de bouquin si ce n'est déjà fait.

Vous complétez la lecture de *La Voix du Cœur*. Peut-être aura-t-elle tiré le voile sur l'être que vous êtes ou vous aura-t-elle permis de découvrir des dimensions de vous-même encore insoupçonnées. Qu'elle vous ait intrigué, bousculé, voire choqué ou ait réveillé un souvenir, vibré, résonné en vous, c'est qu'elle vous a parlé.

Vous lisez donc les dernières pages de *La Voix du Cœur* et pourtant rien n'est terminé. Certaines réflexions ou questionnements vous auront sans doute touché en profondeur... même à votre insu. Au moment opportun leur semence germera en vous. Une nouvelle compréhension apparaitra, un élan vous projettera vers l'avant. Il n'en tient qu'à vous d'oser ouvrir votre conscience.

Nous voyons en *La Voix du Cœur* un outil de cheminement intérieur. Elle peut être rangée sur une tablette et relue quelques mois ou quelques années plus tard. Elle peut aussi garnir une table de chevet idée d'approfondir certains passages au fil des jours ou des semaines.

Lorsque le livre ne vous servira plus, nous vous invitons à le mettre en circulation. Faites-le lire par les gens de votre entourage, partagez-le dans votre réseau de connaissances au lieu de le reléguer aux oubliettes. Nous souhaitons que *La Voix du Cœur* puisse Servir là où elle est.

La préparation de ce livre fut un processus tant dans sa conception et sa réalisation que dans sa production. Bien qu'une étape soit maintenant terminée, pour nous sa mise en circulation, pour vous sa lecture, son œuvre se poursuit.

Puisse la voix de nos cœurs contribuer d'une quelconque façon à l'émergence de la Conscience. Quelques soient les détours effectués, ultimement nous avançons tous dans la même direction, c'est-à-dire vers la Reconnaissance de notre Essence divine et Sa manifestation dans la matière.

Nous vous offrons un dernier texte, *L'incroyant*, pour clore notre travail et ouvrir le vôtre. Il vous invite à prendre part activement à votre propre démarche, quelle qu'en soit la voie.